3日でわかる法律入門

はじめての
行政法

第6版

尾崎哲夫 著

自由国民社

はじめに——法律をみんなのものに

❖私たちと法律

「法律は難しい」というイメージがあります。

また「法律は専門的なことで，普通の人の普通の生活には関係ないや」と思う人も多いことでしょう。

しかし，国民として毎日の生活を送るかぎり，いやおうなしにその国の「法律」というルールの中で生きているはずです。

クルマに乗れば，道路交通法に従わなければなりません。

商取引は当然，商法などの法律の規制の下にあります。

私達はいわば法の網の目の中で，日々の生活を過ごしているわけです。

法律の基本的な知識を持たずに生活していくことは，羅針盤抜きで航海するようなものです。

❖判断力のある知恵者になるために

法律を学ぶことには，もう一つ大きな効用があります。

法律を学ぶと，人生において最も大切な判断力が養われます。

ともすればトラブルを起こしがちな人間社会の生活関係において，そこに生じた争いごとを合理的に解決していく判断力を養うことができます。

たとえば，学生が学校の銅像を傷つけたとします。

判断力のない小学生の場合，次のような反応をします。

「えらいことをしてしまった。叱られるかな，弁償かな」

でも法学部の学生なら，次のような判断ができるはずです。
「刑法的には，故意にやったのなら器物損壊罪が成立する」
「民法的には，故意／過失があれば不法行為が成立する。大学は学生に対して損害賠償請求権を持つ」

このように判断した後ならば，次のような常識的判断も軽視できません。
「簡単に修理できそうだから，問題にならないだろう。素直に謝って始末書を出せば平気かな，わざとやったわけではないし」

❖行政法について
行政法は，六法以外の特別法に属するとされています。
憲法は，人権編と統治組織編に分かれ，後者の特別法に当たるのが，行政法である，と考えている人もいます。
いずれにしても，一般の人々にとっては行政法は正しい理解で位置づけられておらず，またその重要性もあまり認識されていないようです。民法に比べれば一般の人の生活にそれほど関係ない，と思われているのかもしれません。行政法は，公務員の方々が仕事上運用する手続的なルールにすぎないと考えている人さえいるようです。
しかし行政法は行政組織と国民を規律し，その関係を左右する重要な法律です。六法には属していませんが，第七番目の法律というべきなのかもしれません。ひとつの国家のなかのひとりの国民として生活する限り行政の中で暮らしていくのですから，行政法は，私たちに身近な法律なのです。
また，行政法の勉強をすると民法や民事訴訟法の理解がより深くなる，憲法の統治機構の理解も進むというメリットもあります。

❖誰でもわかる法律の本を

　ところが従来の法律の本は，専門的すぎてわかりづらいものがほとんどでした。法律はやさしいものではないのだから，読者が努力して理解するものだ，という発想があったことは否定できないと思います。

　かなり優秀な法学部の学生や基礎的知識のある社会人などを対象として，筆者が思うままに書き進めるパターンが支配的だったように思われます。

　しかし法律をみんなのものにするためには，理解しようとする人なら誰でもわかる本を書いていかなければならないと思います。

　失礼な表現かも知れませんが，**平均以上の高校生が理解できるように書き進めました**。高等学校の公民＝政治経済の授業で平均以上のやる気のある高校生に対して，黒板で説明していくつもりで書いていきました。

　一人でも多くの方がこの本をきっかけに法律に親しみ，判断力を養い，法律を好きになっていただければ，望外の幸せであります。

　自由国民社はできるだけわかりやすい法律の本を，安く提供することに努力を傾けてきた出版社です。自由国民社のこのシリーズが長く愛読されることを願ってやみません。

　　令和2年10月吉日

尾崎哲夫

こ　の　本　の　使　い　方

この本は行政組織、行政訴訟、行政手続などに関する法律に対応しています。

この本の第1～12時間目で行政法体系を順に追って勉強していきます。

そしてこの本の第0時間目は「序論」として，一番前に持ってきました。行政法とは何を指しどんな位置を占めるものかという基本事項を説明します。

それぞれのページの中で出てくる条文のうち，参照しながら読んでほしいものは，そのページか隣のページの下の方に，載せてあります。

そして巻末には，重要な条文をまとめて掲載しました。

行政法

行政行為とその周辺
- 行政組織
- 法治主義
- 行政行為
- 行政契約
- 行政指導
- 行政計画
- 行政手続
- 行政強制
- 行政立法

行政行為とその周辺
- 取消訴訟・その他の抗告訴訟
- 行政不服審査
- 国家賠償・損失補償

電車の中で，六法を参照できないときにも読めるように工夫しました。

できるだけ読みやすくしてありますので，なるべく条文になじむようにしてください。なおこの本の内容は，令和2年10月1日までに公布された法令にもとづいて書かれています。

記憶すべきまとまったことがらについては，黒板の中に整理しました。試験対策として使えるはずです。

試験対策でなくてもある程度の基本事項を記憶していくことは，さらに勉強を進めるにあたって，重要なことです。

覚えるほうがよいと思われる事項については，黒板のまとまりごとに記憶し，次のステップに対する準備としてください。

また，巻末に若干の付録をつけました。さくいんもつけてあります。それぞれご利用ください。

❖行政法に関する本

(1) 『行政法入門』藤田宙靖著（有斐閣）
　広く読まれている代表的な入門書。
(2) 『行政法』櫻井敬子・橋本博之著（弘文堂）
　広く読まれている代表的な教科書。
(3) 『行政法（LEGAL QUEST）』稲葉馨ほか著（有斐閣）
　初学者から使えるスタンダードな教科書
(4) 『行政法概説Ⅰ　行政法総論』宇賀克也（有斐閣）
(5) 『行政法概説Ⅱ　行政救済法』宇賀克也著（有斐閣）
(6) 『行政法概説Ⅲ　行政組織法／公務員法／公物法』宇賀克也著（有斐閣）
(7) 『行政法Ⅰ　行政法総論』塩野宏著（有斐閣）
(8) 『行政法Ⅱ　行政救済法』塩野宏著（有斐閣）
(9) 『行政法Ⅲ　行政組織法』塩野宏著（有斐閣）
(10) 『国家試験受験のためのよくわかる行政法』神余博史著（自由国民社）

❖法律一般

(1) 『身近な人が亡くなった後の手続のすべて』児島明日美ほか著
   (自由国民社)
(2) 『はじめての六法』尾崎哲夫著 (自由国民社)
(3) 『法律英語用語辞典』尾崎哲夫著 (自由国民社)
(4) 『法律の抜け穴全集』(自由国民社)
(5) 『離婚を考えたらこの1冊』石原豊昭ほか著 (自由国民社)
(6) 『イラスト六法 わかりやすい相続』吉田杉明著 (自由国民社)
(7) 『法律学小辞典』(有斐閣)
(8) 『こども六法』山崎聡一郎著 (弘文堂)
(9) 『江戸の訴訟』高橋敏著 (岩波書店)
   当時の訴訟状況が，具体的事例を通して興味深く書かれている。
(10) 『ドキュメント裁判官』読売新聞社会部著 (中公新書)
(11) 『ドキュメント検察官』読売新聞社会部著 (中公新書)
(12) 『ドキュメント弁護士』読売新聞社会部著 (中公新書)

もくじ

0時間目 序論

1時間目 行政行為とその周辺①

2時間目 行政行為とその周辺②

3時間目 行政行為とその周辺③

4時間目 行政行為とその周辺④

5時間目 行政行為とその周辺⑤

本文デザイン――中山銀士

行政法とは

　憲法，民法，刑法といった六法科目は，いずれもその名称の法律が存在します。それらの法律の条文を手がかりとして，制度趣旨や解釈を理解していくことができます。

　六法とは，憲法，民法，商法，刑法，民事訴訟法，刑事訴訟法をいいます。

　しかし，これから学ぶ行政法については，「行政法」という名称の法律があるわけではありません。これが，皆さんに行政法をイメージさせにくくさせている最初の要因だといえるでしょう。

　一般に国や地方自治体が行う事務を行政といいます。行政法とはこれらの事務の処理方法や，事務処理によって形成される権利や義務などを定めたさまざまな法律の総称を言います。

　最も身近な例では，道路交通法があります。

　行政上の法律関係によって権利義務が生じる場合としては，次のような事例を挙げることができます。

①税務署長が，Aさんに対し，課税賦課処分を行ったとき，Aさんには課税額を納付する義務が生ずる。
②市町村長が，Bさんに対し，生活保護決定処分を行ったとき，Bさんには生活保護給付金の請求権が発生する。
③国土交通大臣が，Cさんの所有する土地を，道路建設用地として収用する決定をしたとき，国とCさんとの間で，Cさん所有の土地を対象とする売買契約が締結されたのと同じ状態が発生する。

　市民法の一般原則によれば，①②③のような権利義務の発生は，契約当事者の意思表示の合意があって初めて発生するはずのものです。そして，それは国や自治体が一方当事者であっても，本質的な違いはないはずです。

　しかし，行政活動によって生じるさまざまな権利義務の発生を，いちいち当事者の契約による合意に委ねていたのでは，円滑な行政活動は望めません。

　例えば，③の土地収用の事例でも，まずは通常の売買契約の締結が，国や自治体によって試みられることが多いのです。しかし，土地所有者が任意の売却に応じてくれない場合には，いつまでたっても，道路の建設ができないことになってしまいます。

　道路の建設が公共のために必要とされている場合には，これでは困ります。それで，国や自治体には，最後の切り札として，強制的に土地を買い上げる力が認められているのです。

すなわち，行政活動においては，相手方の同意なくして国や自治体が一方的に国民に義務を課したり，権利を与えたりすることが許容されています。

私人間の場合は、いくらその土地が必要だからといって、強制的に買い上げるようなことは絶対にできませんね。

　このような行政活動に伴なって生ずる権利義務は，基本的には国や自治体の一方的な意思によって発生します。しかし，その前提として，必ずその行政活動について定めた法律の規定が存在していなければなりません。これを法治主義といいます。ちなみに，前頁の黒板では①は所得税法，②は生活保護法，③は土地収用法がその根拠法です。

　したがって，行政法は，その領域に属する法律の分量だけをみれば，民法関連の法規の分量をはるかに凌駕しています。

　民法は1000条を超える大法典ですが，私人どうしの法律関係は契約自由の原則が支配しているので，あらゆる場合を法律で定める必要はありません。したがって行政法に比べればコンパクトだと言えます。

　量の問題ばかりではなく，行政法が内容的にも難しいとされるのは，民法や民事訴訟法の理解があることを前提として，さまざまな概念が組み立てられているからです。その意味では，行政法とは，民法および民事訴訟法において，国や地方自治体が一方当事者となった場合の特別法である，と言えるでしょう。

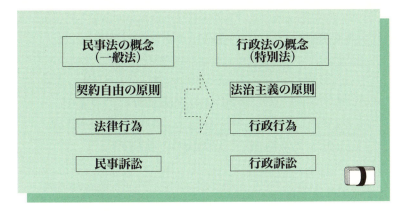

民事法の概念 （一般法）	行政法の概念 （特別法）
契約自由の原則	法治主義の原則
法律行為	行政行為
民事訴訟	行政訴訟

　大学の講義などでは，行政法は公法の一分野とされることが多いですね。

　しかし，もし民法や民事訴訟法について多少なりとも知識がある人が行政法を学ぼうとするのであれば，ことさら公法であることを意識する必要はありません。民法の意思表示や契約自由の原則や，民事訴訟法による権利の強制的実現など，私法原理を出発点として考えた方がわかりやすいと思います。

　例えば，民法には法人という概念があります。これは，組織や団体に法律上，取引など権利義務の主体となることのできる法人格をあたえる制度です。

　国や地方公共団体も，同じように一つの法人として意思表示や事実行為の主体となり，国民との間で取引を行って権利義務関係を形成したり，不法行為による損害を与えることもある，というのが出発点です。

　同じように，後で出てくる行政組織や行政庁という概念についても，ことさら公法ということを意識するよりは，同じように，株式会社の取締役と従業員をイメージすることが理解の助けとなります。

いわば，国民を株主とする日本株式会社が，どのように法律上の権利義務を形成し，その権利をどのように執行して実現していくのか，そして日本株式会社が義務違反や不履行を行ったときは，どのような義務を負い，裁判で訴えられるとどうなるのか，などというのが，行政上の法律関係にほかなりません。

国民が会社オーナーである株主であり，大臣と内閣が取締役および取締役会に相当しますね。

　ただし，行政上の法律関係においては，契約当事者の合意による法律関係の形成という民事法上の原則に，大幅な修正が加えられていることは否定できません。それらを，民法の原則に対する例外の関係として捉えていくのが，行政法の学習だといえます。

　いずれにせよ，民法や民事訴訟法の理解のうえに行政法の知識を積み重ねるのが，もっとも効率的であることは間違いないでしょう。

　しかし，本書では，六法の基本知識がない人も読むということを前提に，なるべく民法，民事訴訟法その他の六法的な知識を前提とせずとも理解できるような記述を心がけて，説明していきます。

●2●
基本六法と行政法との関係

　行政法は，憲法，民法，刑法，商法，民事訴訟法，刑事訴訟法からなるいわゆる六法には含まれていません。これは，かつては国が個人の生活に関与する度合いが少なく，行政法という独立した法分野を設ける必要性に乏しかったためです。

もちろん，昔も行政活動を規律する法律がなかったわけではありません。ただ今日ほどの重要性がなかったために，それぞれ憲法を具体化する法律とか，民事法の特別法などとして，憲法，民法，民事訴訟法の分野の中で考えていれば十分だったのです。

　しかし現代では，規制にせよ福祉にせよ，国家や自治体が市民生活に関与する度合いは飛躍的に高まりました。

　もはや，国家賠償法を民法の不法行為の特則として補充的に考えるだけでは事足りません。また，国家や自治体の行政組織のあり方を，憲法の統治機構の一項目として取り上げるだけでは十分とは言えなくなりました。

　また一方では，行政訴訟という，戦後に創設された比較的新しい制度の存在が重要です。

　そもそも戦前は，個人が国や自治体と対等な立場で裁判で争うという発想自体がほとんどありませんでした。

　行政上発生した紛争は，すべて行政主体である国自身がその責任においてケリをつけるという発想が普通だったのです。また，戦前の明治憲法下では，今日のような地方自治も存在しませんでした。

Ⅰ. かつての行政活動と行政法
①行政活動は警察，取締分野に限定
②行政活動の過誤は，行政権内部で処理
　＝行政裁判所の審査
③行政法は，通達や職務命令に類似した内部規範
　＝行為規範
Ⅱ. 現在の行政活動と行政法
①行政活動は，公共事業，社会福祉，経済政策など，きわめて
　広範囲
②行政活動の過誤は，司法権が第三者の立場で判断
　＝司法裁判所の審査
③行政法は，通常の民法などと同様の外部的規範
　＝裁判規範

　つまり，戦前における行政法とは，国民の権利義務にかかわりのある法律というよりは，大蔵省とか内務省などの役人が行政活動を遂行するうえでの，内部規則という性質が強かったのです。

　戦後は状況が一変し，行政上の法律関係の紛争も，通常の司法裁判所の審査に服することになり，国民が国や自治体と対等な当事者として，訴訟を行うことが当たり前の原則となりました。

・・

憲法81条：最高裁判所は，一切の法律，命令，規範又は処分が憲法に適合するかしないかを決定する権限を有する終審裁判所である。

ここに及んで初めて，行政法は国民の権利義務に関わりのある，他の法律と変わりのない地位を取得したといえます。

　行政行為という行政法の中心概念も，行政訴訟という制度があって初めて，その性質や内容が徐々に明らかになってきたと言ってもよいでしょう。

　そして，行政法という分野を考察するには，行政行為と行政訴訟という，行政上の法律関係に特有の事象を軸として，その周辺事項を取り込んでいくという方法論が有効であると考えられるようになったわけです。

　六法という用語ができたのは，これよりずっと以前のことなので，行政法は六法科目とはされていません。しかし，行政法が六法科目に劣らない重要性を持っていることは，おわかりいただけるでしょう。

　昔から行政法が現在のような体裁で存在していたら，ひょっとしたら六法全書は，行政法を加えて「七法全書」と呼ばれるようになっていたかもしれないですね。

　現在，行政法の対象とされている事項が，六法科目のいずれに関連性があるのかを図にしてみましたのでご覧ください。とりわけ，憲法，民法，民事訴訟法とは密接な関連を持っています。

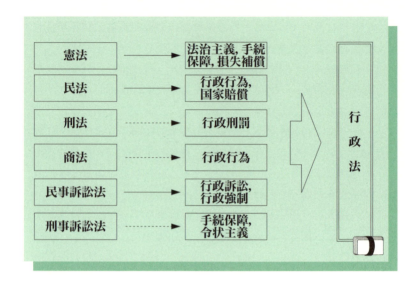

行政法の中心となる法律

　行政法の固有領域に属する法律は，おびただしい数にわたりますが，それらは全く無秩序に存在しているわけではありません。

　「行政法」という名称の法律こそ存在しないものの，行政上の法律関係が問題となる上で一般法的な役割を持ついくつかの法律を挙げることができます。

　そしてこれらの法律や概念をよく理解することが行政法の学習の中心となります。

　行政法の中心となる法律として，どれを挙げるべきかについて決まっているわけではありませんが，ひとまず以下のものを挙げておきましょう。かっこ内は，その法律が主として定めている分野です。

- ・国家行政組織法　(行政組織)
- ・地方自治法　(行政組織)
- ・行政事件訴訟法　(行政行為，行政訴訟)
- ・行政手続法　(手続保障)
- ・国税徴収法　(行政強制)
- ・行政代執行法　(行政強制)
- ・国家賠償法　(国家賠償)
- ・土地収用法　(損失補償)

● 4 ●
行政行為という用語について

　行政行為は，行政法を学ぶうえでもっとも重要なキー概念です。ただ，行政行為という用語はどんな行政法の教科書にも必ず出てくるにもかかわらず，条文のどこを探しても出てこないという不思議な用語です。

　皆さんには，通俗的な用語としても定着している「行政処分」と言った方がなじみが良いかもしれません。食中毒を出したレストランの営業停止処分はその代表例です。

　実際，行政処分と行政行為はほぼ同じ概念と言ってよいのですが，法律の本の中では行政行為と呼ばれることが多いようです。

　これは言うまでもなく，民法上の権利義務を発生させる「法律行為」と対比させながら，行政上の権利義務の発生を考えていこうという意図があるからです。

本書では，行政行為と行政処分は同じ内容の概念であること
を前提としたうえで，従来の使用例を踏襲して行政行為という
用語を使います。

　それは，皆さんが本書を読み終えた後も引き続き，他の本を
利用した学習をする場合の利便を考えてのことです。

　それでは，さっそく本論に進んでいきましょう。

行政行為とその周辺①
行政組織

●1●
行政主体

　自らの名と責任において行政活動を行う者を行政主体といいます。行政活動を行う者といっても，特定の公務員や官公署を指すわけではありません。行政活動によって生じた法律上の権利や義務の主体となり得る者だけが行政主体とよばれます。

　公務員や官公署は行政主体ではなく，行政主体のために現実の行政活動を代わって行う機関＝行政機関にすぎません。行政機関は，活動はしますが，行政機関にはその法的権利義務は帰属しません。民法上の代理人と同じです。

　通常，行政主体となり得るのは，自然人ではなく法人です。行政活動には極めて大きな費用や労力が必要で，一個人がこれをなし得るものではないからです。

　法人である行政主体は，自らは活動を行うことができないために，行政機関を手足のように使って活動させ，自らの意思を実現していきます。つまり，行政主体と行政機関の関係は，法人とその機関の関係と同じです。

　行政主体として重要なのは，国と地方公共団体ですが，いずれも法人と考えて少しも差し支えありません。

　地方公共団体＝地方自治体です。以下，本書では「自治体」ということにします。

❖国

　日本全国にわたって統一的に行われる行政活動については，国が行政主体となります。最も重要な行政主体といえます。

　国の機関が行った行政活動の効果は，国の権利義務として帰属します。国が義務の履行を怠れば，法人としての国自体が，訴訟における当事者となって訴えられます。

例えば，国は，国家公務員が国民に与えた損害の賠償を請求する訴訟における当事者＝被告となります。実際に損害を与えた公務員が当事者となるわけではありません。

　これも，私法上の法人とその機関の関係と全く同じですね。

❖地方公共団体

　都道府県や市町村などの地方公共団体も，国と同様に，自らの責任において行政活動を行い，そこから生じた権利義務が帰属する行政主体です。ただ，その行政活動の範囲が，地域的に限定されている点が，国とは異なります。

　しかし，その地域的権限に属する事項については，独立した行政主体として他の組織の干渉を受けずに，機関を通じて意思決定や活動を行い，権利義務が帰属することになります。

　地方自治体は，決して，国の下部組織や機関ではありません。もちろん，地方公務員が市民に損害を与えれば，国家賠償請求訴訟では，大阪府，京都市など，当該公務員の所属する地方自治体が，被告となります。

●2●
行政機関

　国にせよ地方自治体にせよ，通常の行政主体は自然人ではなく法人です。法人それ自体は，自ら活動することができないので，組織に所属する自然人を代理人のように使って活動を行わせ，法人の意思を実現していくことになります。

　この関係は民間の会社や法人が，取締役などの機関を通じて活動を行うのと全く同じです。行政主体における，行政活動を行う役割を担った機関を，特に行政機関と呼びます。

　行政機関は，その役割や存在形態に応じて，さまざまに分類

することができます。とくに重要なのは，行政庁，補助機関，参与機関などといった機関の分類です。

　行政庁は，行政組織のトップに位置して，どのような行政活動を行うかについての意思決定を行います。

　現実の行政活動はほとんどの場合，行政庁の意を受けた補助機関が行います。

　会社組織にたとえると，行政庁は代表取締役，補助機関は従業員といったところです。

行政主体：行政活動によって生じた権利義務が帰属する法人
　①国
　②地方公共団体
行政機関：行政主体の手足となって，実際の行政活動を行う自
　　　　　　然人や組織
　①行政庁
　②補助機関

❖行政庁

　行政活動の意思を決定し，行政機関に指示して行わせる機関です。「行政庁」と言うと官公署そのものをイメージさせますが，そうではなく，官公署のトップである特定の<u>自然人</u>が行政庁です。　　　　　　　　　　　　　　　　　　人間

　各省庁の大臣，都道府県知事，市町村長が行政庁の代表例です。

各省庁，都道府県庁，市町村役場が行政庁なのではなく，そのトップである自然人が，行政庁という行政機関の役割を担っていることに，くれぐれも気をつけてください。

　行政法において，行政庁という概念は非常に重要です。

　まず，どのような行政活動をするかについて決定された行政庁の意思は，行政行為という形式で，行政庁の名において外部に表明されます。

　一方，行政行為の対象となった私人が行政行為の内容に不服がある時は，大抵まずは行政庁に対して不服を申し立てることになります。

　私人が，国や自治体に対し，国家賠償請求や任意に売却した土地の代金の支払いを求めて訴えを起こす場合は，義務の帰属主体である，国や自治体そのものを相手取る必要があります。この訴訟は，通常の民事訴訟とその本質において異なるところはありません。

　しかし，ひとたび行政行為という形式で行政活動がなされた場合は，大抵まずはその行政行為を行った行政機関である行政庁に対して不服申立てを行います。それが却下されたらはじめて行政主体を相手取って，その処分の取消を求める行政訴訟＝**取消訴訟**を提起することができるという流れになります。

　他にも取消訴訟は，通常の民事訴訟とはかなり異なった性質を持っています。

取消訴訟については10時間目，不服申立てについては11時間目で，あらためて詳しく説明します。

❖補助機関

　行政庁の意思決定を現実に実行に移したり，行政庁の意思決定を補佐する機関を補助機関といいます。行政庁以外の行政組織の構成員は，通常全て補助機関です。

　国土交通省を例に取れば，国土交通大臣が行政庁で，副大臣以下の職員は，全て補助機関です。もちろん補助機関とされる者の中では役割や権限の分担があって，現実には事務次官と呼ばれる省庁事務方のトップが，実質的な行政活動の意思決定を行い，大臣はお飾りにすぎないという場合もあります。

　しかし，その場合でも，法律的には行政行為を行う権限があるのは行政庁である大臣ただ一人であり，すべての対外的な行

政活動は，行政庁である大臣の名前によって行われるのです。

　ただし，あらかじめ大臣が，事務次官や局長に，行政行為を行う権限の一部を委譲しておく場合があります。

　この場合は，委譲された範囲内で，事務次官や局長が自らの名前で行政行為を行うことになります。これを権限の委任といいます。

　国や自治体の行政組織を，行政庁と補助機関という観点から図にしてみましたので，ご覧ください。代表取締役社長をトップとして平取締役や従業員が下に続く会社組織とよく似ているのがわかると思います。

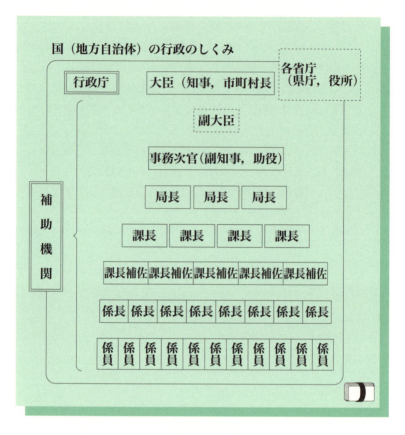

国（地方自治体）の行政のしくみ

| 行政庁 | 大臣（知事，市町村長 | 各省庁（県庁，役所） |

副大臣

事務次官（副知事，助役）

局長　局長　局長

課長　課長　課長　課長

課長補佐　課長補佐　課長補佐　課長補佐　課長補佐

係長　係長　係長　係長　係長　係長　係長　係長

係員　係員　係員　係員　係員　係員　係員　係員　係員　係員

補助機関

　なお，国の行政組織と自治体の行政組織とで大きく異なる点があります。

　自治体では，都道府県知事や市町村長という一人の行政庁が，原則として全ての分野の行政事務を掌握して行政活動を行います。アメリカの大統領制型の組織だといえます。

　この性質に鑑みて，自治体のトップを「首長」と言うことがあります。

　「首長」は「しゅちょう」・「くびちょう」と読めます。

30

厳密に言えば，地方自治体にも警察署長など複数の行政庁が存在していますが，おおむね行政権限は首長に集約されています。

　それに対して国の行政では，内閣府の長である内閣総理大臣を筆頭に，複数の国務大臣が行政分野ごとに分担を決めて，各省のトップに立っているのはご存知だと思います。すなわち国の行政組織は，内閣型であり，複数の行政庁が存在しています。日本やイギリスの国家組織は，内閣型の行政組織です。

　複数の行政庁が存在すると，各行政庁が得意分野を責任もって担当できる反面，国家的規模では行政活動に統一性がなくなるという危険性があります。この点は内閣総理大臣が国務大臣の任免権を行使しながら危険を防ぎ，調整をすることになります。

❖その他の機関

　①諮問機関　行政庁が意思決定をするにあたって，参考意見などを述べる機関です。各種の審議会などがその例です。

　②参与機関　行政庁の意思決定を拘束する意見を表明する機関です。行政組織のトップの意見を拘束するのですから，選挙などで選ばれた議会など，民主的な根拠のある議決機関であるのが通常です。

　③執行機関　警察官，徴税職員など，実力を行使して行政庁の意思の実現を行う機関です。これは職務の性質からみた分類であり，組織法上は補助機関にすぎません。

[用語チェック]

□　行政活動によって生じた権利義務は，〔ア〕に帰属します。

ア：行政主体

□　国と〔イ〕は，いずれも〔ア〕である。

イ：地方公共団体（または地方自治体）

□　〔ア〕は，自ら行政活動を行うことはできないので，〔ウ〕を手足ないし代理人として，行政活動を行います。

ウ：行政機関

□　〔ア〕と〔ウ〕は，私法上の法人とその機関の関係とほぼ同じです。

□　〔エ〕は，法人における理事や会社における代表取締役に相当する〔ウ〕です。

エ：行政庁

□　〔オ〕や市町村長は，〔イ〕における〔エ〕です。

オ：都道府県知事（または知事）

□　〔エ〕が，その行政意思を対外的に表明し，私人に権利や義務を課す行為を，〔カ〕といいます。

カ：行政行為（または行政処分）

□　厚生労働省の〔エ〕は〔キ〕であり，内閣府の〔エ〕は〔ク〕です。

キ：厚生労働大臣

ク：内閣総理大臣

□　国の行政活動は，〔ク〕の有する〔ケ〕の任免権によって統一がはかられます。

ケ：国務大臣

□　各省庁や県庁，市役所などの職員は，法律的には〔コ〕とよばれ，〔エ〕の命を受けて，その意思決定を実行に移したり，判断の補佐を行います。

コ：補助機関

□　〔サ〕とは，〔エ〕が意思決定を行うに際して意見を答申する〔ウ〕です。

サ：諮問機関

シ：参与機関（また は議決機関）	□ 〔シ〕は，その議決によって〔エ〕の意 思決定を制約したり，拘束したりする権限 をもちます。
ス：執行機関	□ 警察官や徴税職員は，その担当職務の性 質に着目して〔ス〕と呼ばれるが，組織法 的には〔コ〕の一種です。
セ：国家賠償請求訴 訟（または国賠訴訟）	□ 行政活動によって損害を受けた者が，そ の損害に対する金銭賠償を求めて〔セ〕を 提起するときは，〔ア〕を被告として訴え を起こさなければなりません。
ソ：取消	□ 自分が受けた行政行為に不服のある者が， その処分の〔ソ〕を求める行政訴訟を提起 するときは，大抵まずは当該行政行為を 行った〔エ〕に対して，不服を申し立てな ければなりません。その後，取消訴訟を提 起する場合には〔ア〕を被告とすることに なります。

法治主義とは

行政機関は私人とは異なり，自分の好き勝手に行動することはできません。

行政機関の権限は強大なので，好き勝手な行政活動を認めたのでは，国民の権利が侵害される可能性が非常に高いからです。

憲法上，行政権を監督する権限は，民主的な選挙で選ばれた国会に属しています（憲法62条，67条1項）。

そこで行政機関の行動は，国会が制定した法律に従って行われなければならないことにしました。これを法治主義といいます。

法律の留保

法律の留保とは，法律の根拠に基づかなければ，行政権は発動できない，という原則です。

もっとも，現代社会では，行政権の果たすべき役割は極めて広範です。

あらゆる行政活動にいちいち法律の根拠を必要としたのでは，時として行政活動が硬直化したり，必要な行政活動が迅速に行われないなどの弊害が生じます。

憲法62条：両議院は，各々国政に関する調査を行ひ，これに関して，証人の出頭及び証言並びに記録の提出を要求することができる。
憲法67条：①内閣総理大臣は，国会議員の中から国会の議決で，これを指名する。この指名は，他のすべての案件に先だつて，これを行ふ。

①侵害留保説：国民の権利を一方的にはく奪したり制限する効果をもたらす行政活動には，法律の根拠が必要。
②権力留保説：行政行為という形式で活動する場合には，相手方に利益を与える活動だとしても，法律の根拠が必要。
③全部留保説：どのような形式であろうと，どのような効果をもたらす活動であろうと，あらゆる行政活動には法律の根拠が必要。

　そこで，法治主義の適用される範囲については，学説によって見解の相違が生じています。

　法治主義が適用される範囲の狭い順番に，主要な学説を挙げると上の黒板のようになります。このうち，実務や伝統的な通説は①の侵害留保説だと言われています。

　法治主義の適用範囲が狭い方が，行政機関にとっては便利ですが，国民にとっては安心できないことになります。

　国や自治体が，国民に対して一方的に義務を課す場合＝規制行政に法律の根拠が必要であるとすることについては，どの説でも違いはありません。

　相違が生ずるのは，生活保護費の受給のように国民に対して一方的に権利を与える場合＝給付行政，任意に土地を国に売却する場合のように国民の同意に基づき義務が生じる場合＝行政契約，法律上の義務は生じないが事実上の要請や負担が発生する場合＝行政指導など，についてです。

● 3 ●
行政組織と法治主義

　具体的な行政活動だけでなく，行政組織の存在やあり方そのものも，法治主義の対象になります。

　内閣や大臣は憲法の定めなしには存在し得ませんし，各省庁やその下部組織，地方自治体の機関なども，必ず法律に基づいて設置されます。

　行政組織の存在やあり方を定める法律を，行政組織法といいます。それに対して，行政組織が具体的に行う行政活動の根拠となる法律を，行政作用法といいます。

①行政組織法：行政機関や組織の存在，設立，権限などを定める法律。国民の権利義務に直接かかわる法律ではないが，法治主義の適用範囲内である。

②行政作用法：行政組織法によって存在根拠を与えられた行政組織が，具体的な行政活動を行う根拠となる法律。国民の権利義務に直接関わりがある。

キ オ ー ク コ ー ナ ー **2** 時 間 目

[問題]

　国や地方自治体が次に掲げる行為を行うには，法律の根拠が必要ですか。

ア）発ガン性のある物質を添加した食品の販売を禁止する行為。

イ）所得税の確定申告を行った者に対して，税務署が申告納税額の不足を指摘して，正しい納税額を決定する行為。

ウ）子どもが生まれた家庭に，児童手当を支給することを決定する行為。

エ）行政活動を伝える広報紙を各家庭に配布する行為。

オ）道路建設予定地を，国が土地所有者から売買契約によって買い上げる旨合意を締結する行為。

カ）道路建設予定地を，国が土地所有者から強制的に買い上げる旨を決定する行為。

キ）住宅地に現れた野生動物を，自治体職員が保護して動物園に引き渡す行為。

ク）住宅地に現れた野生動物に餌付けをしようとした住民に対し，自治体職員が，やめるように要請する行為。

ケ）伝染病が発生した国からの帰国者に対して，潜伏期間中は自宅に待機し，出勤や外出を控えるように要請する行為。

コ）雇用，育児，別姓の問題など，女性の地位向上の問題を取り扱う「女性省」を新設すること。

［解答］

ア）食品販売業者に対して，特定の製品を販売してはいけないという不作為義務を課す行為ですから，法律の根拠が必要です（食品衛生法6条）。

・食品衛生法6条

次に掲げる食品又は添加物は，これを販売し（不特定又は多数の者に授与する販売以外の場合を含む。以下同じ。），又は販売の用に供するために，採取し，製造し，輸入し，加工し，使用し，調理し，貯蔵し，若しくは陳列してはならない。

1. 腐敗し，若しくは変敗したもの又は未熟であるもの。ただし，一般に人の健康を損なうおそれがなく飲食に適すると認められているものは，この限りでない。（以下略）

イ）納税申告者に対して，新たに具体的な金銭の支払義務を課す行為ですから，法律の根拠が必要です（国税通則法24条）。

・国税通則法24条（更正）

税務署長は，納税申告書の提出があつた場合において，その納税申告書に記載された課税標準等又は税額等の計算が国税に関する法律の規定に従つていなかつたとき，その他当該課税標準等又は税額等がその調査したところと異なるときは，その調査により，当該申告書に係る課税標準等又は税額等を更正する。

ウ）侵害留保説によれば，国民に金銭を給付する利益を与えるにすぎませんので，法律の根拠は必要ありません。一方，全部留保説・権力留保説によれば，支給が行政行為の形式で行われるのであれば法律の根拠が必要とされます。実務では児童手当支給認定という行政処分がなされたうえで，実際の支給が行われています（児童手当法8条）。

・児童手当法8条1項（支給及び支払）

①市町村長は，前条の認定をした一般受給資格者（中略）に対し，児童手当を支給する。

エ）広報紙の発行や配布は，市民に義務を与えるわけではなく，行政処分でもない単なる事実行為なので，侵害留保説でも権力留保説でも，法律の根拠は必要ありません。全部留保説の立場では，行政活動である以上は法律の根拠が必要となります。

オ）売買契約の締結によって土地所有者には土地の引渡義務が発生しますが，自分の意思に基づき売買の対価を受け取った上でのことですから，侵害留保説でも権力留保説でも，法律の根拠は必要とされないでしょう。全部留保説の立場では，行政活動である以上は法律の根拠が必要となります。

カ）土地の収用は，「収用裁決」という行政行為の形式でなされるので，権力留保説では法律の根拠が必要です。土地の収用によりそれまでの所有者には対価が支払われるものの，意に反して土地を取り上げられるという点では不利益な義務を課すものですから，侵害留保説でも法律の根拠が必要です。全部留保説でも当然法律の根拠が必要です。
・土地収用法2条（土地の収用又は使用）
公共の利益となる事業の用に供するため土地を必要とする場合において，その土地を当該事業の用に供することが土地の利用上適正且つ合理的であるときは，この法律の定めるところにより，これを収用し，又は使用することができる。

キ）野生動物には所有者がなく，これを保護して動物園に引き渡してもなんら権利を侵害される者はいませんし，たんなる事実上の保護，引渡しに過ぎませんので，侵害留保説でも権力留保説でも，法律の根拠は必要とされないでしょう。全部留保説の立場では，法律

の根拠がなければこのような行為は行えないことになります。

ク) 餌付けをしないように求める要請は，なんら法律的な義務を生じさせない事実上の働きかけなので，侵害留保説でも権力留保説でも，法律の根拠は必要とされません。全部留保説の立場では，法律の根拠がなければこのような行為は行えないことになります。

ケ) ク) と同じく，待機要請は，何ら法律上の権利義務を発生させない事実上の働きかけなので，侵害留保説でも権力留保説でも，法律の根拠は必要とされません。出勤制限などが義務付けられる場合には，法律の根拠が必要です (感染症の予防及び感染症の患者に対する医療に関する法律18条2項)。
・感染症の予防及び感染症の患者に対する医療に関する法律18条2項
②前項に規定する患者及び無症状病原体保有者は，当該者又はその保護者が同項の規定による通知を受けた場合には，感染症を公衆にまん延させるおそれがある業務として感染症ごとに厚生労働省令で定める業務に，そのおそれがなくなるまでの期間として感染症ごとに厚生労働省令で定める期間従事してはならない。

コ) 国家行政組織の設置にあたりますので，いわゆる設置法とよばれる法律の根拠が必要です (総務省設置法1条)。
・総務省設置法1条(目的)
この法律は，総務省の設置並びに任務及びこれを達成するため必要となる明確な範囲の所掌事務を定めるとともに，その所掌する行政事務を能率的に遂行するため必要な組織を定めることを目的とする。

3時間目
行政行為とその周辺③
行政行為

行政行為とは

　行政行為という用語自体は，すでに何度か使用しました。

　既に述べたように，市民が権利を得たり義務を負ったりする
のは，その者の自由な意思に基づいて，契約を締結した結果で
あるのが原則です。このような私人の行為を法律行為といいま
す。

　国や自治体が行政活動を行ううえでも，このような行政主体
と私人との意思の合致によってなされる場合は少なくありませ
ん。例えば，自治体が営む水道事業は，自治体と個々の住民と
で給水契約を締結する方法で行われるのが通常です。契約の締
結が行われれば，自治体は開栓を行い，住民は対価として水道
料金を支払うことになります。

　個々の住民はその自治体に転入してきたからといって，給水
契約の締結を強制されるわけではありません。自分が必要ない
と思えば，給水契約を締結しないことも，解約することも可能
です。この場合は開栓も行われず，住民に料金支払義務が発生
することもありません。

　一方，水道事業者の側には，契約締結を拒めないという制約
があります（水道法 15 条 1 項）。これは水道供給契約の重要性
に基づいた法律上の制約ですが，これによって契約という性質
が失われるわけではありません。

水道法 15 条〔給水義務〕①水道事業者は，事業計画に定める給水区域内
の需要者から給水契約の申込みを受けたときは，正当の理由がなければ，
これを拒んではならない。

しかし，すべての行政活動において，このような法律行為や契約の手法によることは無理があります。

　例えば，税金の徴収を，水道料金やNHKの受信料の請求のような手法で行っていたのでは，安定した税収の確保は見込めないでしょう。

　また，公共工事の用地取得を，常に任意の売買で行うとすれば，用地買収の完了までに多大な年月がかかり，取得費用に歯止めがかからなくなる可能性があります。

　このように，公共の利益のために私人に負担を強いざるを得ない場合，常に自発的に負担契約に応じることは期待できませんし，合意の成立を待っていたのでは，行政目的の達成のための時機を逸してしまうことも考えられます。

　また，行政活動の性質によっては，任意の契約手法によることが，行政の平等性，公平性を疑わせる場合もあるかもしれません。

　そこで，行政目的の確実，迅速，公平な達成が求められる分野では，行政庁が，私人に対し一方的に，法律の規定に基づいて，義務を課したり権利を与えたりする手法がとられます。

　このような，行政庁による，私人への法律上の権利義務の一方的な設定行為を，行政行為とよびます。

行政行為とは，
①行政庁が
②私人に対して一方的に
③法律の規定に基づいて
④義務を課したり，権利を付与する行為

行政行為は，租税の賦課や土地の収用など，私人に義務を課す場合になされる場合がその典型です。しかし，義務を課す場合に限らず，行政行為によって権利が与えられる場合もあります。

　例えば，生活保護決定や児童手当の支給認定は，私人に権利を付与する行政行為の例です。

　行政行為にあたらない例として行政契約や行政指導が挙げられます。前者は，行政庁と国民が同格の立場で契約するもので，優越的な地位ではないので黒板の②に該当しないからです。また，行政指導は「〜した方がよいのではないか」というような行政庁の助言・勧告を言い，具体的な法的地位を決定するものではないので黒板の④に該当せず，これも行政行為ではありません。なお詳細については後の各項で解説します。

●2●
公定力

　私人による法律行為が成立すると，通常はその効果として債権や債務が発生します。

　同じように，行政庁によって行政行為が成立すると，その効果として，私人に義務が課せられたり，権利が付与されることになります。

生活保護法 24 条〔申請による保護の開始及び変更〕③保護の実施機関は，保護の開始の申請があつたときは，保護の要否，種類，程度及び方法を決定し，申請者に対して書面をもつて，これを通知しなければならない。

さらに行政行為には，公定力という，私人の法律行為には認められない強力な効力があります。

公定力とは，いったんなされた行政行為に過誤や瑕疵があっても，行政主体を相手取った取消訴訟によって過誤や瑕疵が認定されて取り消されるまでは，有効な行政行為として取り扱われる，という効力です。

瑕疵は，キズのこと。法律上なんらかの欠点があることをいいます。

例えば，私法上の法律行為では，売買に無効や取消原因がある場合，その瑕疵を主張する売主は，訴訟外で取消権を行使したり，土地の引渡しを求める買主からの訴訟内で，法律行為の瑕疵を主張することが可能です。

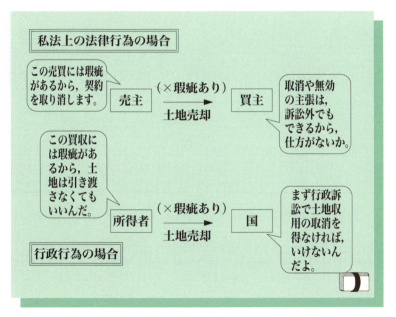

しかし，土地の移転が，土地収用法に基づく公用収用の裁決によってなされた場合には，この裁決という行政行為に瑕疵があったとしても，土地所有者はその瑕疵を，訴訟外や通常の民事訴訟でいきなり主張することは許されず，必ず取消訴訟という行政訴訟によって，裁決処分の取消を得る必要があるのです。土地収用法の「裁決」とは，土地所有者から土地の所有権を奪う一方，正当な金銭保証を受けさせる権利を与える，行政行為です。

　国や自治体の行政行為についてだけ，私人には認められていない公定力という強力な効果が認められる実質的な理由は何でしょうか。それは，行政行為の瑕疵や過誤を，訴訟外で主張することを許すと，行政活動の確実，迅速，公平な実施が害されるからです。

　かつては，行政行為には公定力があるので，違法ではないと推定されるという説明の仕方もありました。

　ただし，法律上のどの条文を探しても，国や自治体に公定力を付与した規定はおろか，「公定力」という言葉すら見つかりません。

　しかし，先に述べた①行政庁，②行政行為，③取消訴訟という主要概念を中心として行政法を組み立てていくとき，公定力という概念は，どうしても認めざるを得ないのです。

土地収用法47条の2〔収用または使用の裁決〕①収用委員会は，前条の規定によつて申請を却下する場合を除くの外，収用又は使用の裁決をしなければならない。

公定力とは
(定義)
取消訴訟において取り消されるまでは，一応有効なものと認められる行政行為の通用力ないし拘束力。
(説明)
行政行為に瑕疵や過誤があったとしても，訴訟外や通常の民事訴訟でその瑕疵を主張することは許されない。すなわち，取消訴訟という行政訴訟の判決によって裁判所が取消しの判断を下すまでは，関係者はその行政行為を有効なものとして扱わなければならない，との原則をいう。
ただし，瑕疵が重大かつ明白である場合，行政行為は無効であり，公定力は認められない (65頁以下参照)。

● 3 ●
その他の行政行為の効力
❖不可争力

　行政行為に瑕疵や過誤がある場合，取消訴訟によってのみその瑕疵や過誤を主張することが可能です。しかし，法律で取消訴訟の提起可能期間が定められています。

　　　　これを「出訴期間」といいます。

　すなわち，行政行為による処分があったことを知った日から6ヶ月以内という，短い期間内に取消訴訟を提起しなければなりません。平成16年改正前は3ヵ月とあまりに短かったため変更されました。以前は不変期間でしたが，正当な理由があれ

ば出訴期間を過ぎたのちも取消訴訟が可能です。

　また行政行為による処分がなされてから1年が経過したとき
は，そのことを全く知らなかったとしても，もはや取消訴訟を
提起することはできなくなります。

　そして，取消訴訟を提起することなく出訴期間が経過してし
まったときは，その行政行為は有効なものとして確定し，もは
や誰も，どんな方法によっても，その瑕疵や過誤を主張するこ
とはできなくなってしまいます。

　これを行政行為の不可争力といいます。

　不可争力が認められる実質的根拠は，言うまでもなく，行政
行為の効力を早期に確定させることにより，安定した行政活動
を行えることを意図したものです。

❖自力執行力

　行政行為とは，行政庁が私人に対し一方的に義務を課す（ま
たは権利を与える）ことを内容とするものでした。

　義務を課された私人が，任意にその義務を履行しない場合は，
その行政行為を行った行政庁は，自らの手で強制的に権利の実
現を図ることができます。これを自力執行力といいます。

行政事件訴訟法14条〔出訴期間〕①取消訴訟は，処分又は裁決があつた
ことを知つた日から六箇月を経過したときは，提起することができない。
ただし，正当な理由があるときは，この限りでない。
②取消訴訟は，処分又は裁決の日から一年を経過したときは，提起するこ
とができない。ただし，正当な理由があるときは，この限りでない。
民事執行法22条〔債務名義〕強制執行は，次に掲げるもの（以下「債務
名義」という。）により行う。
1. 確定判決　2. 仮執行の宣言を付した判決（後略）

自力執行力を理解するには，通常の民事上の義務を債務者が任意に履行しない場合には，債権者は，司法裁判所に民事訴訟を提起して勝訴判決を得て，それから，裁判所による差押えや競売などの強制執行手続によって債権の満足を得る，という原則を理解しておく必要があります。

　民事債権について執行力が生じるのは，民事判決の効力の一つとしてです（民事執行法22条）。

　すなわち，通常の民事上の法律行為によって発生した権利＝債権には，自力執行力はありません。

　これに対して行政行為によって発生した債権，例えば課税賦課処分という行政行為によって発生した金銭債権の場合は，納税者が滞納すれば，国は裁判所の勝訴判決を得るまでもなく，直ちに自らの手で，滞納者の財産を差し押さえることができるのです。

　自力執行力が認められる実質的根拠も，行政活動の迅速性，確実性を保障する点に求められます。

国税徴収法47条〔差押の要件〕①次の各号の一に該当するときは，徴収職員は，滞納者の国税につきその財産を差し押えなければならない。
1．滞納者が督促を受け，その督促に係る国税をその督促状を発した日から起算して十日を経過した日までに完納しないとき。

行政行為の効力の種類
①公定力
　行政行為による処分を受けた相手方や利害関係者が，取消訴
　訟によらなければその有効性を否定できない効力
②不可争力
　取消訴訟の出訴期間が短く定められ，出訴期間経過後はもは
　や行政行為の瑕疵や過誤を争えなくなる効力
③自力執行力
　行政行為によって私人に課した義務について，司法裁判所の
　判決を得ることなく，行政行為を行った行政庁が自ら強制的
　な実現を行うことを可能とする効力。

● 4 ●
行政行為の種類

　行政庁がする行政行為は，さまざまな観点から分類すること
が可能です。

　分類の多くは，後に述べる行政裁量の範囲や，行政庁自身に
よる行政行為の取消や撤回が可能かどうかなどを，行政行為の
性質によって決めようとするためのものです。

　代表的な分類のいくつかを図にしました。効果・性質による
分類は最も著名なものなので，後で少し詳しく説明していきま
す。

　行政庁の裁量の有無による分類については，次項で詳しく述
べます。

私人に対する効果による分類は，既にいくつか例を挙げました。例えば土地収用の裁決や課税賦課処分などは，**負担的（侵害的）行政行為**の例です。

　これに対して，生活保護決定や児童手当の受給確認などは，**授益的行政行為**といえます。

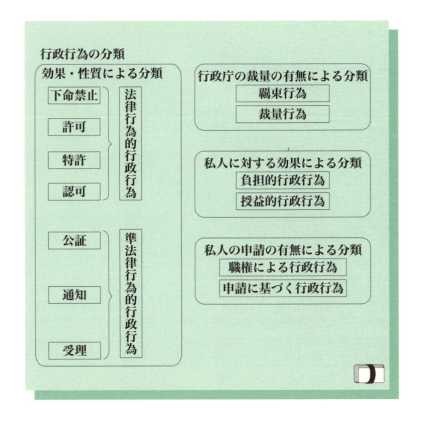

行政行為の分類

効果・性質による分類

下命禁止
許可
特許
認可
｝法律行為的行政行為

公証
通知
受理
｝準法律行為的行政行為

行政庁の裁量の有無による分類
羈束行為
裁量行為

私人に対する効果による分類
負担的行政行為
授益的行政行為

私人の申請の有無による分類
職権による行政行為
申請に基づく行政行為

また，行政行為の多くは，私人の申請に対する行政庁の応答として行われます。建築確認，児童手当の支給，営業許可などはその例です。これを申請に基づく行政行為といいます。

　これに対して，営業停止や免許の取消し，延滞税の賦課などは，該当する事実を行政庁が察知したときに，行政のイニシアチブで行われる行政行為です。これを職権による行政行為といいます。

❖下命・禁止　　「下命」=「命令」と思ってください。

　私人に作為（何かをすること）を義務付けることを下命，不作為（何かをしないこと）を義務付けることを禁止といいます。所得税の賦課処分は，金銭の支払いを命じる典型的な下命です。

　禁止の例としては，営業停止処分や販売停止処分が代表的なものです。

　必ずしも法律の条文には「下命」，「命令」とか「禁止」と記載されているわけではなく，法律の趣旨を解釈して，下命・禁止という分類に当たるかどうかを判断するものであることに注意してください。このことは，下命・禁止以外の分類概念についても全く同様です。

　下命・禁止は，私人が本来的にもっている自由を制限する行為なので，その制限は法律の要件に従って厳密に適用しなければならず，行政庁の裁量の余地がないとされる点に，分類の意味があるとされます。

❖許可

　風俗営業法の営業許可，自動車運転の免許など，一般的な禁止を解除する行政行為をいいます。警察許可と呼ばれることもあります。

条文上は「免許」や「認可」などとなっていても，法律の趣旨が一般的な禁止の解除であれば，行政行為としては許可に該当することに注意してください。

　許可は，私人が本来的にもっている自由を回復させる行為なので，法律上許可の要件に該当するときは，必ず許可を与えなければならず，下命・禁止と同じく行政庁の裁量の余地がないとされる点に分類の意味があるとされます。

❖特許

　道路法の道路占有許可，電気事業法の事業許可などは，法律の条文こそ「許可」となっていますが，その本質は，私人が本来もっている自由権の一般的禁止の解除ではなく，私人が本来もっていない権利を特定の者に特別に認めるものであると考えられています。大規模な電気供給事業を営んだり公道を継続的に占有したりすることは，一般の私人にはそもそも認められていないからです。

　また，ここでいう「特許」とは，いわゆる知的財産権としての特許や特許法とは全く関係がないことに注意してください。

風俗営業等の規制及び業務の適正化等に関する法律3条〔営業の許可〕①風俗営業を営もうとする者は，風俗営業の種別（前条第一項各号に規定する風俗営業の種別をいう。以下同じ。）に応じて，営業所ごとに，当該営業所の所在地を管轄する都道府県公安委員会（以下「公安委員会」という。）の許可を受けなければならない。
道路交通法84条〔運転免許〕①自動車及び原動機付自転車（以下「自動車等」という。）を運転しようとする者は，公安委員会の運転免許（以下「免許」という。）を受けなければならない。

行政行為としての特許という用語は，「特別」に「許可」するという程度の意味あいです。ちなみに，発明の「特許」（特許法29条）は，分類では「確認」にあたります。

　このような，特定人に能力や必要性を判定して権利を設定する行政行為を特許といいます。公企業特許という呼び方もされます。

　特許と許可を区別して分類する理由は，前述のように許可を与える場合について行政庁の裁量はほとんど認められないのに対し，特許を与えるかどうかは，行政庁の広範な裁量判断に委ねられると考えられているからです。

道路法32条〔道路の占用の許可〕①道路に次の各号のいずれかに掲げる工作物，物件又は施設を設け，継続して道路を使用しようとする場合においては，道路管理者の許可を受けなければならない。
電気事業法3条〔事業の許可〕一般送配電事業を営もうとする者は，経済産業大臣の許可を受けなければならない。

許可（警察許可）と特許（公企業特許）の違い

許可

①本来的には私人の自由に委ねられている事柄を，まず全面的に禁止しておき，許可申請者に個別に許可を与えて禁止を解除する手法。

②営業許可，販売許可，集会許可など，警察取締目的に使われる手法。

③法律の許可要件を満たす限り必ず許可を与えるのが原則で，行政庁の裁量の余地はほとんどない。

特許

①本来的に私人がもっていない権利を，申請者の能力や公益の必要性を考慮して，特別に付与する手法。

②公益事業の認可，公有地の占有許可，公有水面の埋立免許など，高い公益性が要求され，公益遂行を果たすことのできる能力ある者を選別する場合などに使われる手法。

③誰にどのような範囲で権利を付与するかについて，行政庁の広範な裁量が認められる。

❖認可

　農地を譲渡するには，所有者と譲受人が売買契約を交わすだけでは足りず，農業委員会や都道府県知事の許可を受けて初めて私法上の所有権移転の効果が発生すると考えられています（農地法3条）。この農地法3条の「許可」とは，私法上の効力を完全なものにするために必要な補充要件であり，その行政行為としての性質は，認可であると考えられています。

認可という行政行為の類型は，それが得られないときは私法上の効力も発生しないという点に，特色があります。

　これに対して，許可を無視した販売や，特許が得られない事業の開始については，行政法上の強制力や罰則の適用はともかくとして，一般に，私法上の効力自体に影響はないのです。

❖公証

　例えば，何らかの理由で市町村備え付けの選挙人名簿に登録されていない者が，投票日当日に選挙資格を自身の方法で証明したとしても，投票を行うことはできません。選挙資格がある者が選挙人名簿に登録されることにより，初めて投票が可能となるのです。

　このように，一定の法律効果の発生を前提として，行政庁が特定の事実や資格，法律関係の存否を公に確認したり記録することを公証といいます。

農地法3条〔農地又は採草放牧地の権利移動の制限〕①農地又は採草放牧地について所有権を移転し，又は地上権，永小作権，質権，使用貸借による権利，賃借権若しくはその他の使用及び収益を目的とする権利を設定し，若しくは移転する場合には，政令で定めるところにより，当事者が農業委員会の許可を受けなければならない。（後略）
公職選挙法42条〔選挙人名簿又は在外選挙人名簿の登録と投票〕①選挙人名簿又は在外選挙人名簿に登録されていない者は，投票をすることができない。（後略）
公職選挙法22条〔登録〕①市町村の選挙管理委員会は，政令で定めるところにより，登録月の一日現在により，当該市町村の選挙人名簿に登録される資格を有する者を同日（中略）に選挙人名簿に登録しなければならない。（後略）

公証という行政行為の結果として発生する法律効果の内容は，行政庁の行政活動意思の結果ではなく，法律で定められた効果が発生するにすぎません。ですから公証は法律行為的行政行為ではなく，準法律行為的行政行為に分類されています。

❖通知

例えば，税金を納める義務を履行しない者に対して滞納処分として差押えなどを行うには，まず督促状を送付して督促を行わなければなりません。

督促状による催促を受けたにもかかわらず，租税の納付が行われない状態が続けば，次のステップである滞納処分を行うことができます。これは，行政庁の意思にかかわりのない法定の効果にすぎないので，公証と同様に準法律行為的行政行為の一つとされます。

すなわち一定の法律効果の発生を前提として，行政庁が特定の事実を公または特定人に知らせることを通知といいます。

公証とよく似ていますが，登録や記録ではなく，ある事実を外部に向けて発信する行為である点が異なります。

❖受理

私人の届出や申請を行政庁が受け付けたという事実に対して，法で定めた効果が発生する場合があります。公証，通知と同様に準法律的行政行為の一つとされます。

国税通則法 37 条〔督促〕①納税者がその国税を第三十五条（申告納税方式による国税の納付）又は前条第二項の納期限（…略…）までに完納しない場合には，税務署長は，その国税が次に掲げる国税である場合を除き，その納税者に対し，督促状によりその納付を督促しなければならない。

　特定の事実または法律行為に対してその存在，真否を判断することで，法律効果を確定する行為をいいます。これには，介護保険の等級認定や，市町村の境界の裁定などがあります。

　公証，通知，受理，確認といった用語も，行政法以外の分野でよく利用される言葉です。しかし他の法律分野で使われるそれらの用語との関連性をあまり深く考える必要はありません。実際，関連性はほとんどありません。

● 5 ●
行政行為と裁量
❖羈束行為と裁量行為

　確実性や迅速性が要請される行政活動は，行政庁が行政行為によって，私人に権利や義務を課すという方法により行われることが多いのでしたね。

　さて，行政庁はいかに公共の利益にふさわしいからといって，どんな行政行為でもできるわけではありません。行政活動には，法治主義の原則があるからです。

　つまり，行政庁が，どのような要件がととのった場合に，どのような行政行為を行うことができるかは，あらかじめ法律で定められていることが必要です。

　例えば，租税の督促（国税通則法37条1項）は，納税義務者が期限に税金を納めなかった場合に，督促状という書面によってだけ行うことが可能です。

　督促状の送付は，「通知」という行政行為に当たりますね。

　納税期限がまだ来ていないのに，「あの人は昨年も滞納したから，心配だ」ということで，税務署の職員が自宅を訪問して

督促するようなことは許されません。

　こういうケースでは，行政がどのような場合にどのような行政行為を行うべきかは明確で，行政側も私人の側も疑問を抱くことはありません。このような行政行為のあり方を，覊束（きそく）行為といいます。

　もう一度行政行為の分類図を確認してください。

　仮に全ての行政行為が覊束行為であれば，法治主義にとっては理想的です。

　しかし，現代の行政活動の範囲はきわめて広範かつ複雑なので，あらゆる場合を想定してあらかじめこと細かに法律を定めておくというのは，現実には不可能です。

　そこで，法律の条文では，行政行為の内容のみについて概括的に定め，現実にいつ誰に対して行政行為を行うかは，行政庁の判断に任せるという手法がとられることが多々あります。このような行政行為のあり方を裁量行為といいます。

　現実には，完全に覊束された行政行為というのはほとんどなく，ほとんどは何らかの裁量の余地があるといってよいでしょう。

　例えば，電気事業法によって特定の業者に与えられた電気事業の許可は，事業者の法例違反によって「公共の利益を阻害」されると認められるときは，いつでも経済産業大臣によって取り消されます（電気事業法 15 条 2 項）。

電気事業法 15 条〔事業の許可の取消し等〕②経済産業大臣は，前項に規定する場合を除くほか，一般送電事業者がこの法律又はこの法律に基づく命令の規定に違反した場合において，公共の利益を阻害すると認めるときは，第三条の許可を取り消すことができる。

この規定は，事業許可を取り消すべきあらゆる場合をあらか
じめ想定して定めておくことができないので，条文上は「公共
の利益を阻害する」という概括的な基準を規定するにとどめ，
実際に事業許可を取り消す行政行為を行うかどうかは行政庁の
自由な判断に委ねた，裁量的行政行為の典型と考えられていま
す。

　ちなみにこの事業許可は，特許という種類の行政行為（設権^{せっけん}
行為）であることは述べました。いったん与えた事業許可を取
り消すこと（剥権^{はっけん}行為）も，それ自体が行政行為であることは
もちろんです。

　このように，ある行政行為が，覊束行為なのか裁量行為なの
かということは，条文の記載や，行政行為によって生じる効果
などを総合的に判断したうえで，解釈によって決められます。

①覊束行為
　行政庁がどのような場合にどのような行政行為を行うかが，
　法律上明確であり，行政庁の自由な判断の余地がない行政行
　為をいう。法律の機械的な適用，執行が行われる。
②裁量行為
　行政庁がどのような場合にどのような行政行為を行うかが，
　条文上不明確な場合に，その法律の適用や執行が行政庁の自
　由な判断に委ねられる行政行為をいう。

❖裁量行為と違法性

　羈束行為の場合には，行政庁がどういう行政行為を行うべきかが法律上明確ですから，行政庁がその定めに違反する行政行為を行った場合には，その行政行為は違法ないし過誤のある行政行為ということになります。

　違法や過誤のある行政行為によって不利益を受けた私人は，取消訴訟によって，その公定力を排除することが可能です。

　これに対して，ある行政行為が裁量行為とされる場合は，私人がどれだけその行為によって不利益を受けたとしても，取消訴訟による救済を求めることはできません。

　法律が行政庁に裁量を認め，行政庁が法律に従って裁量を行使した以上，そもそもその行政行為が法律に違反するということはなく，違法や過誤ということが原則として生じないからです。

①**羈束行為**
行政庁が処分の根拠となる法律規定に違反して行政行為を行ったときは，取消訴訟によって当該行政行為は取り消される。
②**裁量行為**
法律が，どのような場合にどのような行政行為を行うかを行政庁に委ねているので，行政行為の違法という問題は生じない。

❖裁量権の踰越（ゆえつ）と濫用

　裁量行為について，違法の問題は生じないので取消訴訟の審査の余地も全くないとしたのでは，まさに行政庁の「やりたい放題」になってしまう恐れがあります。

そこで，行政庁のやりたい放題が目に余る場合には，その裁量行為は違法となり，行政行為によって不利益を受けた私人は，取消訴訟によって救済を受けることができます。

　そもそも行政庁に裁量が与えられているといっても，それには自ずから限界があると考えられます。

　また，形式的には与えられた裁量権の範囲内で行政行為を行ったとしても，それが不正な意図や動機で行われたのであれば，やはり実質的には委ねられた裁量を逸脱した違法な行為だと言えます。

　言葉をかえれば，行政庁が，委ねられた裁量権の範囲を越えて行政処分を行ったり（＝裁量権の踰越），裁量権を委ねられたのを良いことに，それを利用して不正な目的を達成しようとした場合（＝裁量権の濫用）には，当該行政行為は違法となり，取消訴訟によって取り消されます（行政事件訴訟法30条）。

裁量権の踰越（ゆえつ）と濫用
①踰越：行政庁が与えられた裁量権限を無視して，権限外の行為を行ったとき
②濫用：本来その行政行為が意図している行政目的以外の，不正な目的のために裁量権限内の行為を行ったとき
⇒①②の場合には，当該行政行為は，裁量行為であっても司法審査の対象となり，取り消される。

●6●
行政行為の無効

　民事上の法律行為においては，法律行為の内容や方式に違法な点があれば，その法律行為は無効となります。例えば利息制限法による利率の上限を超えた利息の支払約束は無効です（利息制限法1条)。無効とは，その法律行為の効果が生じていないことを，誰でもいつでも主張できることを意味します。

　これに対して行政行為の場合は，行政行為の内容や方式が法律の定めに違反していても，その行政行為は取消訴訟を通じてのみ取り消せるにすぎず，無効な行政行為となるわけではありません。行政行為には公定力があるからです。

　例えば，税務署が誤って過大な額の加算税を賦課したとしても，その課税賦課処分という行政行為は無効ではなく，処分を受けた者が出訴期間内に取消訴訟を提起して過誤を主張しなければ，誤った課税額のまま当該処分は有効に確定してしまいます。

　行政行為には公定力があるので，原則として無効という問題は生じないのです。

　しかし，公定力とは，あくまでも行政活動の確実性と迅速性のために認められた特別な効力です。

....

利息制限法1条〔利息の制限〕金銭を目的とする消費貸借における利息の契約は，その利息が次の各号に掲げる場合に応じ当該各号に定める利率により計算した金額を超えるときは，その超過部分について，無効とする。
一　元本の額が十万円未満の場合　年二割
二　元本の額が十万円以上百万円未満の場合　年一割八分
三　元本の額が百万円以上の場合　年一割五分

そうであれば行政活動の確実性とか迅速性をとやかくいうまでもないような，行政庁に深刻な誤りがあることが誰の目にも明らかな場合にまで，その行政行為に公定力を認める必要はないと言ってよいでしょう。

　そこで通説・判例は，行政行為の過誤や瑕疵が，重大かつ明白である場合には，当該行政行為は無効であり，取消訴訟によることなく，いつでも誰もが無効を主張することができるとしています。

　行政行為が無効となるのは，瑕疵が重大「かつ」明白な場合に限られます。重大な瑕疵が存在するだけでは足りませんし，瑕疵の存在が客観的に明らかというだけでも，やはり無効とはなりません。

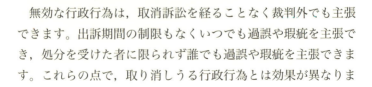

行政行為の無効
原則：行政行為には公定力があるので，瑕疵や過誤がある行政行為も，取消訴訟を通じて取り消すことができるのみである。
例外：行政行為の瑕疵や過誤が，
　　　①重大であり，かつ
　　　②明白である
　　　場合には，当該行政行為は無効である。

　無効な行政行為は，取消訴訟を経ることなく裁判外でも主張できます。出訴期間の制限もなくいつでも過誤や瑕疵を主張でき，処分を受けた者に限られず誰でも過誤や瑕疵を主張できます。これらの点で，取り消しうる行政行為とは効果が異なりま

す。

①権限のない行政庁が行った行政行為，②重要な手続を欠いた行政行為，③必要な要式を欠いた行政行為，④内容を実現することが不可能な行政行為などが，無効な行政行為の例と考えられます。

● 7 ●
行政行為の職権取消と撤回

行政行為による処分の相手方が行政行為の過誤や瑕疵を主張するには，取消訴訟を提起しなければならないのが原則でした。

これに対して，行政庁自身が過誤や瑕疵のある行政行為を行ってしまったことに気がつき，私人が不利益を受けている状態を解消しようとする場合には，このような取消訴訟の方法による必要はありません。

すなわち，処分を行った行政庁は，自らが誤ってした違法な行政行為を，最初にさかのぼってなかったことにすることができ，また可能である限りそうするべきであるとされています。これを行政行為の職権取消といいます。

行政処分の職権取消に似た概念に，行政処分の撤回があります。行政行為が行われた当時は問題がなくても，その後の時の経過や事情の変化により，処分が行われた状態を続けることが行政目的や私人の利益保護の見地から妥当とはいえなくなる場合があります。このような場合に，行政庁のイニシアチブによって当該行政行為の効力を将来に向かって失わせることを撤回というのです。

行政行為の職権取消：瑕疵または過誤のある行政行為をしてし
　　　　まった行政庁が，自らその行政行為の効
　　　　力を最初に遡って消滅させること。
行政行為の撤回：処分当時は瑕疵も過誤もなかった行政行為が，
　　　　その後の事情の変化により処分を維持するこ
　　　　とが相当でなくなったときに，行政庁が自ら
　　　　の判断で，将来に向かってのみその行為の効
　　　　力を消滅させること。

　行政行為の職権取消は，行政行為の瑕疵や過誤を，正しい方
向に是正するものですから，行政庁は必要がある限り，積極的
に職権取消すべきなのが原則です。

　また，行政行為の撤回についても，行政処分が行われた状態
を継続することが公益上ふさわしくない場合には，処分を行っ
た行政庁は自由にその行為を撤回できるのが原則です。そもそ
も行政行為自体が行政庁の自由な意思で行われたからです。こ
れを行政行為撤回自由の原則といいます。

　もっとも，瑕疵や過誤のある行政行為を前提として私人が既
得的な利益を形成してしまう場合があります。生活保護決定や
児童手当給付認定などの授益的行政行為が，給付要件がないに
もかかわらず誤って行われてしまったような場合がその典型で
す。　授益的行政行為については，行政行為の種類
　　　の項目と図をもう一度確認してください。

　このような場合は，私人に不正に受給を獲得しようとする意
図があるのでない限り，私人が瑕疵や過誤のある行政行為から

68

受けた既得利益や信頼について一定の保護が与えられなければなりません。

　一般的には，当該行政行為を職権で取り消したり撤回したりすることによって私人が被る不利益と，瑕疵や過誤を放置しておくことによって「行政活動は法に従って正しく行われなければならない」という法治主義の原則や公益が受けるダメージとを比較します。そして，後者が前者を上回る場合にのみ，職権取消や撤回が可能だと考えられています。

　行政行為の職権取消制限の法理，あるいは行政行為撤回自由の原則の制限といいます。

・行政行為の職権取消制限の法理
・行政行為撤回自由の原則の制限
　行政行為の職権取消や撤回は，既になされた行政行為の効力を否定することによって得られる公共の利益が，取消によって奪われる私人の既得権益を上回る場合にのみ可能であるという原則。

●8● 行政行為の付款

「ふかん」と読けます。

　行政行為の効力の発生を，定められた期限の到来＝**期限**や，ある条件の成立・不成立＝**条件**，私人が特定の負担に従うこと＝**負担**などにかからせることを，行政行為の付款といいます。下の黒板のように言い換えてもよいでしょう。

行政行為の付款

行政庁の判断した期限や条件，負担のもとで行政行為の効力が発生するとした場合のその期限や条件等をいう。

　許可や特許，認可などは，付款つきで行われることが比較的多い行政行為です（水道法9条1項など）。

　ちなみに，水道事業に関する厚生労働大臣の認可は，行政行為の分類では「特許」に当たります。

水道法9条〔附款〕①厚生労働大臣は，地方公共団体以外の者に対して水道事業経営の認可を与える場合には，これに必要な期限又は条件を附することができる。

眼鏡の使用を条件として，自動車運転免許を与えるのは，最も身近な付款の例と言えます。これは負担付き行政行為の例ですね。

　そのほかにも，レストランの営業許可を一定の期限を設定して与えたり＝期限付き行政行為，国賓の来日など他の優先的な利用の必要性が生じたときは公園での集会の許可を取り消すことを留保する＝条件付き行政行為などがその例です。

　「付款」とは，行政行為に限らず，ある法律行為の効果の発生や消滅を，期限や条件にかからせる当事者の補助的な意思表示一般をいいます（参考：民法 127 条など）。期限とは到来することが確実な事実，条件とは到来するかどうかが不確実な事実をいいます。期限の例としては「4 月 1 日から営業許可をする」等，条件の例としては「線路の工事が完成したら，そこを通る道路の通行止めを解除する」等が挙げられます。

　民事上の法律行為においては，このような期限や条件などの付款についても，契約の付随的な内容として当事者の合意によって決められます。

　したがって，民事上の契約においては，原則としてどのような付款を付するのかは全く当事者の自由です。

　これに対して行政行為は，行政庁が一方的に私人に権利義務を課すものです。

　したがって，行政庁に付款つきで行政行為を行うことを全く自由に認めることはできません。付款つきで行政行為が行われた結果，当事者の意に反する不利益が生じることがありうるからです。

行政行為のうち，裁量行為については，そもそも行政行為を行うかどうか自体の判断が行政庁に一方的に委ねられているので，その内容についても，必要に応じて条件や期限をつけることが可能だと考えられています。

　これに対して，覊束行為とよばれる種別の行政行為については，なし得る行為の内容が一義的に法律で定められているので，付款をつけることもできません。行政庁は法律の規定に機械的に従わなければならず，自らの意思で行政行為に期限や条件をつける余地はないと考えられるからです。

覊束行為と裁量行為の分類については，行政行為の種類の項目と，行政行為と裁量の項目をもう一度確認しておいてください。

①行政行為が覊束行為とされる場合
　その行政行為に付款をつけることは許されない。
②行政行為が裁量行為とされる場合
　裁量権の範囲内で，行政庁は付款つきで行政行為を行うことができる。

[用語チェック]

□　国や自治体が行政活動を行うには，私人との契約的な手法による場合と，一方的に私人に権利義務を設定する手法とがある。後者を〔ア〕といいます。

ア：行政行為（または行政処分)

□　〔ア〕を行うのは，行政主体ではなく，〔イ〕です。

イ：行政庁

□　〔ア〕に過誤や瑕疵があったとしても，取消訴訟で正式に取り消されるまでの間は，処分の対象となった私人や利害関係者がそれに従わなければならない効力がある。これを〔ウ〕といいます。

ウ：公定力

□　取消訴訟は，〔エ〕を被告として，処分を知った日から6カ月以内に提起しなければならない。これを出訴期間といいます。

エ：行政主体

□　出訴期間を経過して取消訴訟が提起されなかった〔ア〕は，有効なものと確定し，もはや瑕疵や過誤を主張することはできない。これを〔ア〕の〔オ〕といいます。

オ：不可争力

□　〔ア〕によって課された義務を私人が履行しないとき，〔イ〕は，裁判所の判決や強制執行手続によることなく，義務の履行を強制的に実現することができる。この〔ア〕に認められた特別な効力を〔カ〕といいます。

カ：自力執行力

□　行政庁が私人に対して，一定の作為を命じる性質の〔ア〕を，〔キ〕といい，一定の不作為を命じる場合を〔ク〕といいます。

キ：下命
ク：禁止

□ 私人が本来的に自由に行える領域の事項を，行政庁が一般的に禁止しておき，特定の場合にその禁止を解除することを〔ケ〕といいます。	ケ：許可（または警察許可）
□ 私人が本来的に自由に行うことができない領域の事項について，行政庁が特別に，特定の者に権利を付与することを〔コ〕といいます。	コ：特許（または公企業特許）
□ 私人間の契約や法律行為を補完し，その私法上の効力を発生させる〔ア〕を〔サ〕といいます。	サ：認可
□ 市町村長が有権者を選挙人名簿に登録する行為は，〔シ〕と呼ばれる種類の〔ア〕です。	シ：公証
□ 租税の滞納者に，財産の差押えをする前提として，税務署長が督促状を送付する行為は，〔ス〕と呼ばれる種類の〔ア〕です。	ス：通知
□ 行政庁が，私人の届出や申請を受け付けたことに対して，法律上の何らかの効果が発生する場合，その受け付け行為は，〔セ〕という〔ア〕に該当します。	セ：受理
□ 行政行為の根拠となる法律＝行政作用法が，行政行為の要件や内容についてこと細かに規定し，行政庁は法律を機械的に執行すれば行政活動の目的を達するような〔ア〕のあり方を〔ソ〕といいます。	ソ：羈束行為（または羈束的行政行為）
□ 行政行為の根拠となる法律＝行政作用法では「公益上の必要があるとき」など概括的な規定に留まり，実際の行政行為の要件や内容は，もっとも行政目的に合致してい	

タ：裁量行為（または裁量的行政行為）	ると行政庁が判断するところに委ねられている〔ア〕のあり方を〔タ〕といいます。

□　〔タ〕については、取消訴訟における裁判所の審査が及ばないのが原則ですが、行政庁が法律によって与えられた権限を〔チ〕したり、不正な目的で権限をほしいままに〔ツ〕した場合には、例外的に司法審査の対象となります。

チ：踰越（または逸脱）
ツ：濫用

□　違法な〔ア〕も、無効ではなく取り消し得るにすぎないのが原則だが、違法の程度が〔テ〕であり、〔ト：かつ・または〕、その違法が客観的に〔ナ〕な場合は、例外的に無効とされます。

テ：重大
ト：かつ
ナ：明白

□　処分を行った〔イ〕が、〔ア〕の違法に気づいた場合は、自らその〔ア〕の効力を最初にさかのぼってなかったことにできる。これを〔ア〕の〔ニ〕といいます。

ニ：職権取消

□　処分時には適法だった〔ア〕が、その後の事情の変化により公益に合致しなくなった場合は、〔イ〕はその〔ア〕の効力を将来に向かって発生させないことができる。これを〔ア〕の〔ヌ〕といいます。

ヌ：撤回

□　〔タ〕については、〔イ〕は一定の条件や期限などが満たされる場合にみ〔ア〕の効力を発生させることが可能である。このとき付せられた条件や期限を〔ア〕の〔ネ〕といいます。

ネ：付款

□　公園での集会の許可申請に対して，〔イ〕が，申請の内容よりも警備員の数を増員することを命じたうえで集会を許可したとすれば，これは〔ノ〕という〔ネ〕に該当します。

ノ：負担

● 1 ●
行政契約とは

　行政活動は確実性と迅速性が要求されます。そこで多くの行政分野では，行政庁が一方的に私人に権利や義務を課してしまうという手法がとられます。これを行政行為と呼ぶのでしたね。

　行政活動においては行政行為が有力な行為要式です。とはいえ，それは私人が自分の意思とは関係なく義務を課せられるという，市民法原理の大きな例外であることは間違いがありません。

　そこで，必ずしも確実性や迅速性が最優先課題ではない行政分野では，市民法の一般原理どおり，行政庁と私人の契約という手法によって行政目的を達成することも広く行われています。私人の意思を無視して権利義務が課せられることがない行政手法を非権力的行政活動と呼ぶことがあります。

　行政庁と私人が，それぞれの自由意思で債権債務関係を生じさせる合意をすることを，行政契約といいます。

　行政契約も，その契約としての本質は，民事上の通常の契約と変わるところはありません。

　しかし，当事者の一方は国や自治体という公の法人であることや，その債権債務の内容が行政目的の達成に深く関わるものであることなど，特殊な事情もあります。

　そこで，行政契約には，純粋な民事上の契約とはやや異なる特徴や法原理が存在しています。これが，行政契約という概念を考えて，行政法分野で取り上げていく最大の理由です。

● 2 ●
行政契約の例

前にも少し取り上げましたが，私人と自治体との間で締結される給水契約（水道法15条1項）や公共事業用地の任意取得契約は，代表的な行政契約の例です。

その他では，公営住宅の入居契約や，私人の営む事業への資金貸付けなどを，代表的な行政契約の例として挙げることができます。

行政契約は，主として，給付行政ないし授益的行政分野を中心として，広く行われる行政手法となっています。

さらに行政契約の例として，公害防止協定を挙げることができます。公害防止協定は現代の行政活動に重要な意義を持っているので，後で改めて詳しく説明します。

給付行政ないし授益的行政の分野でも，生活保護決定や児童手当支給認定のように，行政行為という伝統的な手法がとられる場合があることは，既に述べました。

給付行政や授益的行政の分野の活動で，行政行為と行政契約のいずれの形が取られるかは，給付の性質や大量画一処理の必要性などの行政効率を考えて決められることになります。

一般論としては次の黒板にまとめたようなことが言えます。

給付行政，授益的行政の活動手法

①行政契約による場合

・行政活動とはいえ，とりたてて通常の私法上の法律関係と異なる配慮をする必要がない場合：給水契約，公営住宅の入居契約など。

・行政庁が行政活動の内容や条件を，状況に応じて柔軟に決めたい場合：公共事業用地の取得契約など。

・法律の制定が期待できない，あるいは待っていられない事情がある場合：公害防止協定など。

②行政行為による場合

・本質的には贈与，売買，貸借といった私法上の法律関係に還元できるとしても，大量，迅速，画一，平等取扱いの要請が強いため個別の契約によることは妥当でなかったり，効率が悪い場合：生活保護決定，児童手当支給認定，各種補助金交付決定など。

● 3 ●
行政契約の特徴

　行政契約は，本質的に民事上の契約と変わりがないと言っても，国や自治体といった公共団体を一方当事者とするため，それによる制約や特殊な扱いが，自ずと生じることになります。

❖平等取扱いの要請

　国や自治体は，国民や住民全体の信託に基づく団体であり，税金によって運営されている法人です。

したがって行政庁は，誰を相手としてどのような内容の契約を締結するかについて原則的な自由を持っているにしても，それが特定の者だけを不合理に利するようなことにつながってはなりません（憲法 14 条）。

この点が，契約自由の原則が優先的に支配する私人間の契約とは大きく異なる点です。

公営住宅の入居権利が，先着順や抽選で決められることがありますが，これはこのような平等取扱いを配慮してのことと言えます。

もっとも，憲法 14 条の要請する平等とは，形式的な機会均等の平等だけでなく，実質的な結果の平等の趣旨をも含むものです。したがって，生活必需的な契約について，収入の低い者から優先的に契約を締結するなどの措置を講じることは，平等取扱いの原則に反しないと考えられています。

たとえば，公営住宅の賃貸では，収入基準や扶養家族数などで入居契約締結の優先権を決める扱いが多く取られています。

❖行政主体側の契約締結の自由や解約の自由の制限

行政契約について契約自由の原則が完全には妥当しないということは，契約の相手だけではなく，契約内容，契約の締結それ自体や解約についても同様です。

憲法 14 条：①すべて国民は，法の下に平等であつて，人種，信条，性別，社会的身分又は門地により，政治的，経済的又は社会的関係において，差別されない。

契約内容については，個別に当事者が話し合って契約内容を決める余地はあまりなく，民事上の契約約款のように，契約内容があらかじめ規程などの形で定められていることが多いといえます。

　約款とは，銀行取引などのように大量に発生する契約を，画一的，効率的に扱うために，あらかじめ契約条項のひな型を定めておいたものです。

　この場合利用者は，この規程の全体を受け入れて契約するか，それとも契約をすること自体をあきらめるかという形でのみ，自己の意思が契約に反映されることになります。

　生活の根幹に関する給付を目的とする契約については，行政側が契約の締結を拒むことができなかったり，解約することができないなどの制限がある場合があります。

　水道法の契約強制や給水継続義務は，行政主体に課せられたこのような制限の典型例です（水道法15条1項，2項）。

❖法律の根拠

　行政契約の場合も法治主義の趣旨が及び，法律や条例の根拠がなければ，国や自治体は契約を締結することができないのでしょうか。これは，判断が非常に難しい問題です。

　行政契約によって生じる私人の権利義務は，私人自身の意思に基づくものであって，行政行為のように行政庁が一方的に私人の権利義務を決定するものではありません。

　そうであれば，いわゆる法律の留保について，侵害留保説や権力留保説をとる限り，行政契約の締結について法律の根拠は必要ないことになります。

　一方，法律の留保について全部留保説をとれば，行政契約の締結を認める法律や条例が存在しない限り，国や自治体が契約

を締結することは許されないと言えるでしょう。

　一般的には，いずれか一方の見解に完全に割り切るのではなく，行政契約の必要の切迫性や，契約の内容が規制的か給付的かなどの諸要素を考慮して，個別に法律の根拠の要否を判断するのが通説的見解だといえます。例えば私人の権利を規制する性格の行政契約については法律の根拠が必要，私人に利益を与える性格の行政契約については法律の根拠が不要などです。

行政契約と法治行政
①法律の留保に関する侵害留保説，権力留保説からは，行政契約の締結に法律の根拠は必要ない。
②全部留保説では，行政契約の締結にも法律の根拠が必要。

●4●
公害防止協定

　行政契約を語る上で，現代の行政活動において，公害防止協定が地方自治に果たしている機能について触れないわけにはいきません。

　公害防止協定とは，地方自治体が，その地域に工場などを構える企業に，公害の防止や除去について具体的な企業努力と防止対策を行うことを約束させる行政契約をいいます。

　公害は，住民の健康や生活に具体的な危害や危険をもたらすものですから，その規制の本質は警察取締りです。

行政活動における警察取締りは，今までに見てきたように下命，禁止，許可などの行政行為を行うのが，一般的な手法です。

　しかし行政行為による取締りは，その根拠となる法律や条例がなければ，法治主義行政の建前から行うことができません。

　ところが，地方の条例が定め得る事項はきわめて限られている反面，全国規模の法律では地方ごとの公害の発生状況にきめ細かく対応できないという実情があります。そのため，立法による規制はどうしても後手に回りがちです。

　だからといって，自治体が手をこまねいて公害を放置していたのでは行政責任を問われかねない事態となるため，苦肉の策として，自治体が企業の自由意思によって公害を発生させないことを約束させるという手法がとられているのです。

公害防止協定
自治体と企業の間で，例えばその地域に存在する工場から排出する汚水の量の上限について取り決めるなどの，公害防止に向けた合意をいう。

いわゆる建築協定も，同じような機能を果たしている行政契約の例といえます。

　したがって公害防止協定は，法律や条例の根拠なしに行われる行政契約の代表的な例といえます。

法律の留保に関する全部留保説からは，このような公害防止協定も法治行政の趣旨に反するものとして批判的に捉えられることが多いのですが，現実に公害防止協定が地方の公害防止に一定の役割を果たしていることは否定できません。

[問題]

行政契約に関する次の各記述の正誤を述べなさい。

ア) 行政契約とは，国や自治体を一方当事者として締結される契約のことをいいます。

イ) 行政契約という行政手法が妥当するのは，いわゆる給付行政や授益的行政と呼ばれる分野だけであり，取締行政や負担的行政について行政契約が締結されることはありません。

ウ) 国や自治体が行政契約を締結するには，常に法律や条例の根拠が必要です。

エ) 現行法上，児童手当金の支給は，行政契約によって行われています。

オ) 自治体と水道利用者との給水契約は，行政契約の代表例です。

カ) 行政契約も契約自由の原則が妥当するので，国や自治体は常に自由に契約相手を選択し，公序良俗 (民法90条) に反しない範囲で自由に契約内容を合意することができます。

キ) 企業が，汚水の排出量や騒音の基準などについて一定の数値を守ることを，自治体に約束することがあるが，これは行政契約の一種と考えられます。

ク) 公害防止協定は，そのような協定について定める法律が存在しない限り，法治主義行政の趣旨に反しており常に違法です。

［解答］

ア）正

イ）誤：取締行政や負担的行政についても行政契約という手法が取られることは珍しくありません。公害防止協定や建築協定はその例です。

ウ）誤：法治行政の考え方について、いわゆる全部留保説を取れば、行政契約には常に法律や条例の根拠が必要と言えます。しかし侵害留保説や権力留保説では、必ずしも法律や条例の根拠は必要とされません。現実にも公害防止協定などは、法律や条例の根拠なしに行われており、「常に法律や条例の根拠が必要」と断定することまではできません。

エ）誤：現行法では、児童手当の支給は、児童手当支給認定という行政行為の手法を取って行われています（児童手当法8条1項）。行政行為によって給付行政が行われている例です。
・児童手当法8条1項(支給及び支払)
①市町村長は、前条の認定をした一般受給資格者（中略）に対し、児童手当を支給する。

オ）正：水道法15条1項参照。なお水道法の給水契約のような例は、行政契約ではなく純然たる民事上の契約だと考える見解もあるが、一方当事者が自治体である限り、行政契約と考えて差し支えありません。

カ）誤：公害防止協定などは、自治体と企業が自由な意思と内容で契約を締結する例です。しかし、一般的な公共サービスの提供契約においては、契約相手の選別や契約内容などについて、憲法の平等原則などからくる、契約自由の原則に優先する各種の制約が存在し

ます。したがって「常に」とまでは言えないので誤りです。

キ）正：いわゆる公害防止協定とよばれる行政契約である。ただし公害防止協定を，法律的な契約ではなく，単なる紳士協定や取り決めと考える説も存在します。

ク）誤：確かに，法律の留保について全部留保説を取れば，法律や条例の根拠がない公害防止協定は許されません。公害防止協定でしのいで一時的に解決することが，かえって公害問題の根本解決を遅らせるとの批判もあります。しかし現実に多くの自治体や企業が公害防止協定を締結しており，全ての学説が法治主義行政に反するとは考えていないので「常に」違法であると断定するのは誤りです。

● 1 ●
行政指導とは

　取締りや規制といった行政活動における代表的な手法である行政行為は，行政庁が私人に対して，一方的に法律上の義務を課すというものでした。

　これに対し，行政指導とは，文字通り，行政庁が私人に対し指導や働きかけを行うというものです。仮にその私人が指導や働きかけに従わなかったところで，なんら強制や罰則はありません（行政手続法32条）。

　つまり指導を受けた者に法律上の義務が生じるわけではなく，その意味で行政指導は，たんなる事実行為です。したがって，本来であれば行政指導は，政治学や行政学の考察対象にこそなれ，行政法学上取り上げる必要はないはずです。

　ところがこと日本においては，主として取締りや規制といった行政活動において，行政指導という手法が強力な行政庁の許認可権を背景として広く行われていました。

　行政指導を受けた側も，別の局面で許認可権が懲罰的に行使されることを恐れて，たんなる事実上の働きかけに対してほぼ例外なく従うという現象があり，行政指導は絶大な効果を発揮していたのです。

　日本の経済成長を作り上げた行政手法として，「ギョーセーシドー」の名は世界的にも有名でした。

　このように，現実の行政活動において行政指導の効力が大きいため，行政法学の対象となっているのです。

　そして，このような行政指導の重要性を考えて，行政指導の一般原則について行政手続法に規定が置かれたのです。

行政指導
行政庁が私人に対して，特定の作為または不作為を行うように
指導や働きかけを行うこと。私人に対して法律上の義務は生じ
ない。

　　行政指導は，性質上規制行政の分野でなされることが多く，
取締りや規制の目的でなされる行政指導を規制的行政指導とい
います。
　　もっとも給付行政の分野でも，行政指導が全く行われていな
いわけではなく，生活相談や健康相談など文字通りの助言や指
導も行政指導の一種です。これを助成的行政指導といいます。

行政指導の種類
規制的行政指導：規制行政分野において，取締りや規制を目的
　　　　　　　　として行われる行政指導。
助成的行政指導：主として給付行政分野において，行政サービ
　　　　　　　　スを受けようとする者に対する助言や指導と
　　　　　　　　して行われる行政指導。

行政手続法 32 条〔行政指導の一般原則〕①行政指導にあっては，行政指
導に携わる者は，いやしくも当該行政機関の任務又は所掌事務の範囲を逸
脱してはならないこと及び行政指導の内容があくまでも相手方の任意の協
力によってのみ実現されるものであることに留意しなければならない。

● 2 ●
行政指導と法治主義

　法治主義行政の趣旨を徹底し，法律の留保について全部留保説を取った場合には，行政指導のような事実上の活動も，具体的な法律の根拠なしには一切できないことになります。

　現実に個別の法律が，条文上「指示」「勧告」などの用語を使って，行政指導を行うことができる旨を定めている例もあります（風俗営業法 25 条など）。

　したがって，行政指導をするには必ず根拠法律が必要だとする見解にも，理由がないわけではありません。

　しかし，行政指導には，立法の不備や遅れを補うという積極的な役割を果たしている側面があることも事実で，一律に根拠法律のない行政指導を否定する見解は，あまり一般的ではないと言えます。

　行政契約の締結に法律の根拠が必要かどうかの議論と同じく，行政行為の性質や必要性などを考慮したうえで，個別に判断していくのが通説的な見解だと言えます。規制的な行政指導には法律の根拠が必要だが，助成的な行政指導には必要ないとする見解などがその例です。

....

風俗営業等の規制及び業務の適正化等に関する法律 25 条〔指示〕公安委員会は，風俗営業者又はその代理人等が，当該営業に関し，法令又はこの法律に基づく条例の規定に違反した場合において，善良の風俗若しくは清浄な風俗環境を害し，又は少年の健全な育成に障害を及ぼすおそれがあると認めるときは，当該風俗営業者に対し，善良の風俗若しくは清浄な風俗環境を害する行為又は少年の健全な育成に障害を及ぼす行為を防止するため必要な指示をすることができる。

ただし，行政庁が完全にその所掌事務の範囲外の事項について行政指導を行うことなどは許されないと考えられています（行政手続法32条1項）。

●3●
行政指導と救済
　行政指導について最大の問題となるのは，いわれのない行政指導を受けたり行政指導が事実上の強制にわたるような場合に，その指導を受けた私人が，どのような対抗策や救済手段をとることができるかということです。

行政指導が違法とされる場合の例
①誤った内容の行政指導を行った場合
②行政指導に従わない私人に強制を加えたり，不利益に取り扱った場合
③法律で行政指導の要件や方式が定められているときに，その要件や方式を守らずに行われた場合

　これについては，取消訴訟の提起と国家賠償請求が可能かどうかが問題となります。
　また，平成26年の改正により，法令違反の行政指導に対する中止等の求めを定める条項が新設されています（行政手続法36条の2）。

●4●
取消訴訟提起の可否

　行政指導は任意に働きかけに応じてくれることを期待してなされるものですから，そこに強制力はなく公定力その他の行政行為特有の効果もありません。

　また事実行為ですので，法律的行為である行政行為のように無効や瑕疵なども問題になりません。つまり訴訟要件の一つである「行政庁の処分」といえるものがないのです（行政事件訴訟法3条2項）。

　そもそも取消訴訟とは，行政上の法律関係を安定させるために，行政行為の瑕疵や過誤を訴訟をもってのみ主張させることにしたものです。違法な行政活動が行われた場合について，なんでも取消訴訟で解決することを予定した制度ではありません。したがって伝統的な見解によれば，仮に違法と評価される行政指導がなされた場合でも，それは私人が行った事実行為や不法行為と全く同様に考えて通常の訴訟で争えばよいとされます。すなわち行政指導を取消訴訟の対象とする実益は存在しないということになります。

　特に行政指導に法律上の根拠がない場合には，それはいかなる意味でも強制力のない行為としか言えないのでこの見解がよく妥当すると言えます。

　実際，行政活動に関する紛争が通常の民事訴訟で解決されることは少なくないのです。国家賠償請求訴訟にしても行政契約に関する紛争にしても，行政訴訟というよりは，通常の民事訴訟1パターンと考えたほうがはるかに実情に合致しています。

　ただし，行政指導を行える場合について法律に根拠がある場合は，その法律で同時に指導に従わなかった場合の何らかの強制に近い作用が定められている場合が少なくありません（感染

症予防法17条1項，2項など)。

　このような，強制手段の前提として行われる行政指導は，それ自体は強制的性質を持たなくとも，実質上は強制処分の一環として行われるといってよいものです。

　このような場合，例外的に取消訴訟によって，当該行政指導の取消を求めることができるという見解が有力です。

● 5 ●
国家賠償訴訟による救済

　行政指導に対する取消訴訟の提起が認められない場合でも，国や自治体が過失によって違法な行政指導を行い，それによって相手方が具体的に損害を被ったと評価されるのであれば，民事上の不法行為責任を追及できます。

感染症の予防及び感染症の患者に対する医療に関する法律17条〔健康診断〕①都道府県知事は，一類感染症，二類感染症，三類感染症又は新型インフルエンザ等感染症のまん延を防止するため必要があると認めるときは，当該感染症にかかっていると疑うに足りる正当な理由のある者に対し当該感染症にかかっているかどうかに関する医師の健康診断を受け，又はその保護者に対し当該感染症にかかっていると疑うに足りる正当な理由のある者に健康診断を受けさせるべきことを勧告することができる。②都道府県知事は，前項の規定による勧告を受けた者が当該勧告に従わないときは，当該勧告に係る感染症にかかっていると疑うに足りる正当な理由のある者について，当該職員に健康診断を行わせることができる。

国や自治体も，通常の私人が過失による不法行為責任を負う
のと同様，法律上の行為であると事実行為であるとを問わず，
その過失によって他人に与えた損害については，私人と対等の
市民法の関係に立つ者として賠償しなければならないからです。

　ただし国や自治体の不法行為責任については，直接民法709
条や715条1項が適用されるのではなく，国家賠償法という特
別法が適用されます。しかし，その責任の性質は，民法の不法
行為責任と本質的に異なるものではありません。

　この点，国家賠償法1条1項は「公権力の行使」によって損
害を与えた場合としているので，行政行為などの強制的な行為
手法による行政活動によって与えた損害だけが賠償の対象とな
るかのようにも受け取れます。

民法709条〔不法行為による損害賠償〕故意又は過失によって他人の権利
又は法律上保護される利益を侵害した者は，これによって生じた損害を賠
償する責任を負う。
民法715条〔使用者等の責任〕①ある事業のために他人を使用する者は，
被用者がその事業の執行について第三者に加えた損害を賠償する責任を負
う。ただし，使用者が被用者の選任及びその事業の監督について相当の注
意をしたとき，又は相当の注意をしても損害が生ずべきであったときは，
この限りでない。

しかし後にも述べるように，取消訴訟が行政活動特有の訴訟形式であるのに対して，国家賠償請求訴訟は通常の民事訴訟とその本質において異なる点はほとんどありません。

違法な行政指導に対する救済

①取消訴訟による当該行政指導の取消

　原則として，行政訴訟による取消を認める実益はなく，取消訴訟の提起は認められない。

　行政指導が，その後に引き続き行われる行政行為のきっかけとなるような例外的な場合は，取消訴訟の提起を認める余地がある。

②国家賠償請求訴訟による損害賠償請求

　当該行政指導が違法と評価される限り，国家賠償による救済を受けることができる。

③違法な行政指導の中止等の求め

　法令に違反する行為の是正を求める行政指導（法律に根拠があるものに限る）が，法律の規定する要件に適合しないと考えられるときは，当該行政指導の中止その他必要な措置をとることを求める申出をすることができる。

国家賠償法1条：①国又は公共団体の公権力の行使に当る公務員が，その職務を行うについて，故意又は過失によつて違法に他人に損害を加えたときは，国又は公共団体が，これを賠償する責に任ずる。

したがって，国家賠償責任が生じる場合を，行政行為に代表される権力的な行為形式に限定する根拠は乏しく，「公権力の行使」という文言も，「行政活動によって」という程度の意味しかないと一般に考えられています。

行政事件手続法 36 条の 2〔行政指導の中止等の求め〕①法令に違反する行為の是正を求める行政指導（その根拠となる規定が法律に置かれているものに限る。）の相手方は，当該行政指導が当該法律に規定する要件に適合しないと思料するときは，当該行政指導をした行政機関に対し，その旨を申し出て，当該行政指導の中止その他必要な措置をとることを求めることができる。ただし，当該行政指導がその相手方について弁明その他意見陳述のための手続を経てされたものであるときは，この限りでない。

[問題]

行政指導に関する次の各記述の正誤を述べなさい。

ア）行政指導とは，国や自治体が要請に従わない私人に対して，許認可を与えないなどの担保手段によって行政目的を実現していく行政手法です。

イ）行政指導も，権力的な行政手法なので，常に法律の根拠が必要です。

ウ）行政指導は，予期できない緊急事態や法律の不備などに対して，迅速かつ柔軟な行政的対処を行うことができる行政手法です。

エ）行政指導が乱発されたり，適切に行われなかった場合には，法治主義行政が危険にさらされることになります。

オ）規制や調整的な行政活動ばかりでなく，給付や助成的な行政手法としても行政指導が行われることがあります。

カ）行政指導は事実上の行為であり，指導を受けた私人が指導に納得できなければ従わなければよいだけの話なので，違法や救済という問題も生じることはありません。

キ）違法な行政指導の取消を求めて取消訴訟を提起することは，絶対に許されません。

ク）取消訴訟を提起することはできない行政指導については，国家賠償請求も認められません。

ア）誤：行政指導とは，私人が任意に要請に従うことを期待して行う働きかけをいいます。要請に従わない場合に許認可を与えないなどの手段をとることはできません。

イ）誤：一般に行政指導は，非権力的行政手法と考えられています。行政指導の相手方に，指導に従う義務はないからです。

ウ）正：一般的に行政指導のメリットとされる点です。

エ）正：行政指導には議会その他のコントロールが及びにくく，法治行政という観点からは疑問が残る点が，行政指導の最大のデメリットです。

オ）正：税務相談，育児相談などは助成的な行政指導の例です。

カ）誤：事実行為である行政指導には，瑕疵や無効，取り消し得るというような法的評価は考えにくいですが，一般の不法行為と同様，違法という評価は生じえます。

キ）誤：行政指導には原則として「取り消しうる」というような法的評価の問題は生じません。したがって，取消訴訟の対象ともならないのが原則ですが，例外的に取消訴訟の対象となる場合もあるとする説が有力です。したがって「絶対に」というのは誤りです。

ク）誤：行政活動が取消訴訟の対象となるかどうかと，違法な行政活動によって受けた損害について国家賠償請求をするのとは，全く別個の問題です。違法な行政指導によって損害を被った者は，常に国家賠償請求をすることができます。

行政計画とは

　行政庁が，特定の行政目標と，将来行う行政行為その他の行政活動の予定を明らかにすることを，行政計画といいます。

　行政活動は，租税の賦課や生活保護決定のように，単発的に行政行為を行い，それ限りで完結するというケースばかりではありません。

　地域開発や振興プロジェクトのような大掛かりで中長期的な行政活動になると，さまざまな規制や許認可が複雑にからみあうことになってきます。

　行政組織内の複数の部署がかかわるプロジェクトともなると，あちらの部署で出した規制とこちらの部署で出した許認可が矛盾するなどということも起こりかねません。

　そこで，あらかじめ開発やプロジェクトの概要やタイムテーブルを作成します。行政内部的には円滑で矛盾のない行政活動を行うための青写真となり，外部的には将来どのような規制が行われるのか等を一般に示すものとなります。

　行政計画とはこのような機能を果たすものです。

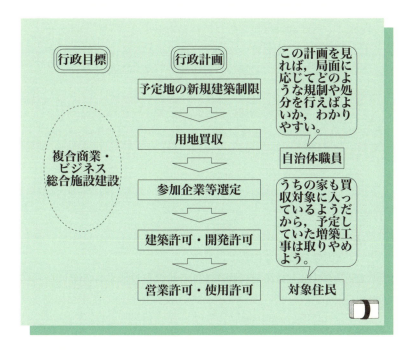

●2●
行政計画と法治主義行政

　現代の行政活動において，行政計画は非常に重要な役割を果たしており，行政計画なしの行政活動は考えられないと言っても過言ではありません。

　しかし行政計画それ自体は，あくまでも将来の目標や予定を定めたものです。

　現実の行政活動が計画どおりには進んでいかないということはあり得ることであり，法律や条例のように行政庁を拘束する性質のものではありません。

　すなわち，原則として行政計画は行政庁を拘束しません。

同様に，行政計画は将来の行政行為の予定を示すことはあっても，行政行為や処分そのものではありませんから，行政計画によって私人が法的に義務を負わされたり権利を与えられることもありません。

　また法治主義行政の法律の留保について，全部留保説をとらない限り，行政計画の策定に際していちいち法律や条例の根拠は必要ないことになります。

> **行政計画の諸原則**
> ①行政計画の策定に法律や条例の根拠は不必要。
> ②行政計画は行政庁を拘束しない。
> ③行政計画は私人の権利義務に法的な影響を及ぼすものではない。

　ただし，行政計画を法律や条例で策定することが禁止されているわけではありませんので，現実に行政計画が法律や条例に基づいて作られた場合には当該計画が行政庁や私人を拘束することがあります。

　このような行政計画を，拘束的計画と呼ぶことがあります。都市計画法に基づく都市計画は，その典型的なものです（都市計画法15条，29条など）。

　逆に言えば，計画自体が私人の権利や義務に影響を及ぼす可能性のある行政計画については，侵害留保説や権力留保説からも法律の根拠が必要と考える余地があるでしょう。

●3●
行政計画と取消訴訟

　行政計画は，将来行政処分や規制を行う「予定」にすぎません。この段階では私人に具体的な義務が生じたわけでも公定力があるわけでもありません。

　私人に対して具体的な法律上の権利義務関係が生じるのは，行政計画の予定に基づいて，個別の開発制限とか用地の収用処分などの行政行為が現実に行われる時です。

　取消訴訟の提起も，この個別の行政行為に対して行えば足ります。ですから，行政計画自体を対象として行政訴訟を提起し行政計画の取消しを求めることは，必要ありませんし認められません。

都市計画法 15 条〔都市計画を定める者〕①次に掲げる都市計画は都道府県が，その他の都市計画は市町村が定める。
1、都市計画区域の整備、開発及び保全の方針に関する都市計画
2、区域区分に関する都市計画
3、都市再開発方針等に関する都市計画（後略）
都市計画法 29 条〔開発行為の許可〕①都市計画区域又は準都市計画区域内において開発行為をしようとする者は，あらかじめ，国土交通省令で定めるところにより，都道府県知事（…略…）の許可を受けなければならない。（後略）

ただし，行政計画による規制の内容が，訴訟によって争わせるのに支障がない程度に具体的，特定的で私人の権利義務に直接影響を及ぼすようなケースでは，個別の行政行為よりも行政計画自体の違法性を訴訟の対象とした方が，紛争の解決には実際的であることが指摘されています。

　平成20年9月10日の最高裁判所大法廷は，市町村が実施する土地区画整理事業の事業計画の決定について，取消訴訟を提起できるとし，それまでの裁判所の考え方を変更しました。

行政計画を対象とした取消訴訟

①行政計画を対象とする取消訴訟は，原則として不可。

②計画に基づく個別の行政行為を対象に取消訴訟を提起するのが原則。

③例外的に，法律に基づいて策定された行政計画が私人の権利義務に法的な影響を及ぼすような場合には，行政計画自体を対象に取消訴訟を提起できる。

[問題]

　行政計画に関する次の各記述の正誤を述べなさい。

ア）行政計画とは，国や自治体が行政活動の目標と予定を設定して明らかにすることをいいます。

イ）行政計画を策定するには法律の根拠が必要です。

ウ）行政計画は，それ自体が私人の権利や義務を設定する権力的な行政手法です。

エ）都市計画法に基づいて策定された行政計画は，行政庁や私人を拘束します。

オ）公表された行政計画に不満のある住民は，行政計画の違法を主張して取消訴訟を提起することができます。

カ）公表された行政計画に不満のある住民は，行政計画で予定された具体的な行政行為が行われるのを待って，その行政行為の違法を主張して取消訴訟を提起することができます。

キ）行政計画による規制が具体的，個別的で私人の権利義務に直接関係する場合には，行政計画自体を対象として取消訴訟を提起する余地があります。

[解答]

ア）正

イ）誤：私人の権利義務に影響がなく将来の行政目標と予定を明らかにするにすぎないので，法律の留保について全部留保説をとらない限り，行政計画の策定には法律の根拠は必要ありません。

ウ）誤：行政計画は，非権力的な行政手法の一つとしてとらえられています。計画の段階では私人の権利義務には何ら影響がないからです。

エ）正：行政計画自体が，法律の根拠の元に策定されているからです。このような行政計画を拘束的計画と呼ぶことがあります。

オ）誤：行政計画はいまだ具体的，個別的に私人の権利義務を設定するものではないので，少なくとも原則論としては取消訴訟の対象とはなりません。

カ）正：行政計画の争い方としては，個別の行政処分がなされるのを待って，その処分の違法性を争うのが原則的な方法です。

キ）正：一般論としては行政計画自体を取消訴訟で争うことはできませんが，最高裁平成 4 年 11 月 26 日第 1 小法廷判決や最高裁平成 20 年 9 月 10 日大法廷判決は，行政計画が直接住民の権利を制限する性質を持つことを理由に，取消訴訟の提起を認めました。

行政手続の持つ意味

　ここまでは，主として行政活動の内容や内容の評価それ自体を中心に考察してきました。

　とくに行政活動の中心的な手法である行政行為は，行政庁が単独で判断して一方的に私人に権利義務を設定するという，きわめて権力行使的な行政手法です。

　したがって，正しい内容の行政行為を行わせるには行政側の意のままにやらせていてはいけません。監督が必要ですね。

　行政行為に対する監督は，まず法治主義行政という形で法律や条例を制定する議会が行います。

　行政行為が行われた後においては，裁判所が取消訴訟や国家賠償請求訴訟という形で行政権を監督します。

　これらの訴訟は，直接的には違法な行政活動によって損害を受けた私人の救済が目的です。そして間接的には，同種の事案について行政権の活動をけん制することになります。

　さらに，行政行為の内容の正しさを担保するためには，行政行為の手順や過程をコントロールしていくことが重要です。

　具体的には，行政行為の対象者が自分になされる処分について意見を述べることなどが，この種（次頁の黒板でいえば②）の統制方法の代表的なものです。

　行政行為の対象となる私人は，その行政行為について最も利害のある者ですので，この者が述べる意見は真剣で切迫性があり行政行為の統制には効果的です。

行政行為に対する監督手段（時系列順に）
①行政行為を議会が制定する法律や条例に基づいて行わせること＝法治主義行政
②行政行為がまさに行われるとき，その手順や過程が適切かどうかを処分対象者その他の者が監視すること
③行政行為の違法性を裁判所が事後的に審査すること＝行政訴訟(取消訴訟)，国家賠償請求訴訟

　私人の行政手順や過程への関与の具体的な方法は，やはり法律によって定められることになります。

　法律が適切に私人の行政手順や過程への関与方法を定めていれば，私人が複雑・専門的で不慣れな行政活動の内容自体を検討する必要も少なくなります。

　行政活動手順や過程自体が，きちんと法律や条理を踏まえて行われたかどうか，それ自体をチェックするだけでも意味のあることだからです。

　このような，私人や機関による監視や関与の対象となる，行政活動を行う手順や過程を行政手続といいます。

　機関が制度的に行政手続を監視する例としては，いわゆるオンブズマン制度などが挙げられます。オンブズマンは行政庁からその職を独立させて，行政活動に対する国民の苦情の申出を受け付け，誤りのある行政を改善するよう勧告したり意見を述べたりします。

そして，私人や機関が行う行政手続の関与や監視の方法を法律や条例が適切に定め，行政行為を行う行政庁がこの法律や条例の定めに従って行政行為を行っていくことを，行政手続の適正といいます。

行政手続：行政行為が行われる手順や過程。
行政手続の適正：正しい内容の行政行為が行われることを目的
　　　　　　　として，具体的な行政手続を定めた法律や条例。あ
　　　　　　　るいは実際に行政行為を行おうとする行政庁が，そ
　　　　　　　の法律や条例を遵守すること。

●2●
行政手続法とは

　行政手続の適正は，憲法が要請する原則でもあります（憲法13条，31条）。

　行政手続の適正を保障したこれらの憲法の規定の具体化は，これまで個々の行政作用法の定めるところに委ねられていました。したがって，法律によって行政手続の内容もまちまちでした。

　そこで，原則として全ての行政行為に適用される行政手続を定めた一般法として，平成5年に行政手続法が制定されました。

　行政手続法は，行政行為の手続だけでなく行政指導や行政強制についても規定を置いています。

もっとも行政手続法は，同法が適用されないいわゆる適用除外の例外をかなり広く認めています（行政手続法1条2項，3条1項など）。

また，地方自治体が行う行政処分については同法は適用されません（行政手続法4条1項）。

したがって，「行政手続に関する一般法」という意味をあまり過大に評価することはできません。しかしいずれにせよ，行政手続法が定める内容の概略と概念を理解することは重要です。

● 3 ●
行政手続法の概略

行政手続法は，行政行為が公正かつ迅速に行われるために，行政庁の意思決定過程の節目節目にさまざまなチェックポイントを設けています。

第2編に述べる「行政事件訴訟法」と「行政不服申立て」が行政作用後のチェックであるとすると，「行政手続法」は事前のチェック体制といえます。

憲法13条：すべて国民は，個人として尊重される。生命，自由及び幸福追求に対する国民の権利については，公共の福祉に反しない限り，立法その他の国政の上で，最大の尊重を必要とする。
憲法31条：何人も，法律の定める手続によらなければ，その生命若しくは自由を奪はれ，又はその他の刑罰を科せられない。

❖審査基準，処分基準

　行政庁の裁量行為については，行政庁の意思決定に関する内部基準を設けることが要求されます（行政手続法 5 条，12 条）。これを審査基準あるいは処分基準といいます。

　言うまでもなく，場当たり的な判断を防止するためです。この審査基準は公表されます。

　なお羈束行為については，行政庁の判断基準が明確ですから内部基準の作成は必要ありません。

❖標準処理期間

　申請に基づく行政行為については，申請を受けてから速やかに処分がなされるように，行政庁に対し努力目標となる締切期限を定め守ることが要請されます。これを標準処理期間といいます（行政手続法 6 条）。

　申請を受け取った行政庁が，申請を取り下げたり任意に行政指導に従うことを期待して，正式の回答や結果を出すことをダラダラと引き伸ばすことを防止する趣旨です。

❖理由提示 —— 「理由付記」と呼ばれることもあります。

　行政庁が申請を却下する処分をするなど，私人に対して不利益な行政行為を行う場合には，その理由を示すことが必要です。これを理由提示といいます（行政手続法 8 条，14 条）。

　理由提示を義務づけることで，行政庁の処分が慎重に行われることが期待されます。また，処分を不服とする私人が取消訴訟などの救済手段をとるのにも役立ちます。

114

❖聴聞

　行政手続の中でも行政行為の適正を確保するために最も重要なのが，聴聞と呼ばれる手続です。

　聴聞とは，行政庁が行政行為を行うに際して官公署その他の場所に処分の相手方である私人を呼び，処分についての行政庁と私人双方の意見を交換する手続をいいます。

　意見交換とは言ってもいわゆるディスカッションではなく，行政側が処分の内容や理由その他の資料を私人に示し (行政手続法15条1項)，私人がこれに対して反論や意見を表明することが念頭に置かれています (行政手続法15条2項)。

　聴聞が開催されることにより，行政庁にとってはこれから行おうとする行政行為をより正しい方向に見直す機会を与えられることになります。

　もちろん私人にとっても，行政庁の誤った認識を指摘し自己の意見を行政行為に反映する唯一とも言える重要な機会です。

このことから，聴聞が行政行為の適正を確保するために最重要の手続であるという趣旨がお分かりいただけると思います。

　憲法による行政手続の適正の要請も，まず第一にはこのような聴聞手続の必要性が念頭に置かれているといえます。

聴聞の意義
①行政行為の決定過程に私人が関与することにより，私人の利益を保護する。
②行政庁にその行政行為を今一度見直させる。

　もっとも，行政行為は極めて大量に行われ，中には緊急を要するものもあります。また行政行為の内容や重要度も千差万別です。したがって，全ての行政行為に聴聞が必要とされるわけではなく，必要とされた場合でも聴聞手続の程度には差が設けられています（行政手続法13条）。

　私人にいったん与えられた許認可を取り消すような，不利益的な行政行為は，聴聞が必要とされる典型的な場合です（行政手続法13条1項1号イ）。

　これは，上の黒板にまとめた聴聞の意義のうち，①の私人の利益保護の要請が強い場合にあたります。

　また，聴聞が必要とされる場合に注意しなければならないのは，必ずしも私人が現実に出席して意見を述べることを要せずその機会を与えれば足りるということです（行政手続法23条）。

　正しい行政活動が行われることを担保し，私人の利益を保護するため行政手続法が定めた手続には，既に挙げたもの以外にも公聴会の開催（行政手続法10条），弁明の機会の付与（行政手続法13条1項2号，29条〜31条）などがあります。

　公聴会とは処分対象者以外の者の意見を聴く手続をいい，**弁明の機会の付与**とは，処分対象者に弁明書を提出させる機会を与えることをいいます。

　弁明の機会の付与は，簡易化された聴聞の一種と考えることもできます。

[用語チェック]

□　行政行為その他の行政活動は，内容自体が正しいこともさることながら，法律の定める手順や手続にのっとって行われること自体も重要です。この場合の法律の定める手順や手続を〔ア〕といいます。　　　　ア：行政手続

□　法律で定められる〔ア〕は，行政行為等の対象となる者の意見を処分に反映させ，行政庁に処分前に再検討させる機会のあるものでなければなりません。これを〔イ〕といいます。　　　　イ：行政手続の適正（または適正な行手続など）

□　〔イ〕は憲法上の要請である。根拠条文としては，憲法13条や〔ウ〕条が挙げられます。　　　　ウ：31

□　〔ア〕に関する一般法としては，平成5年に制定された〔エ〕があります。　　　　エ：行政手続法

□　〔オ〕の行う行政活動は，原則として〔エ〕の適用対象外です。これは地方自治を重視し，地方のことは地方に任せるという地方自治重視の表れです。　　　　オ：地方公共団体（または地方自治体，自治体など）

□　〔エ〕は，行政庁の行う裁量行為について，内部基準を定めて公開することを要求しています。この基準を〔カ〕あるいは〔キ〕といいます。　　　　カ：審査基準　　キ：処分基準

ク：標準処理期間	□ 〔エ〕は，私人から行政行為を求める申請があったときは，回答としての行政行為を行う期限を設定し，その期限を遵守する努力をするよう行政庁に求めています。この期限を〔ク〕といいます。
ケ：理由提示（または理由付記）	□ 私人に対して，行政行為を行った根拠や理由を明らかにすることも，行政活動の慎重性や私人の救済の便宜という見地から重要です。〔エ〕は一定の場合には，このような〔ケ〕を行政庁に義務づけています。
コ：聴聞	□ 〔エ〕は，一定の場合には行政行為に先立って，行政庁が処分の根拠，理由や資料を提示し，これに対して私人が意見や反論を表明する機会を与えることを義務づけています。これを〔コ〕といい，もっとも重要な〔ア〕のひとつです。
サ：公聴会 シ：弁明の機会の付与	□ 〔エ〕には，処分対象者以外の者の意見を聴く〔サ〕や処分対象者に弁明書を提出させる機会を与える〔シ〕などの手続も定められている。このうち〔シ〕は，簡易化された〔コ〕とも言えるものです。

行政上の強制執行

行政行為の効力の一つに，自力執行力というものがありましたね。これは，行政行為によって課せられた義務を私人が任意に履行しなかった場合に，行政庁が自ら強制的な義務の履行を実現できる権能のことをいいます。

ちなみに，私人どうしの契約によって発生した債権債務にはこのような自力執行力はありません。債権の現実的な実現を債権者自身に委ねたら，違法な強制や取り立てが行われるようになるのは必至だからです。

これに対して，行政上の義務の場合には，行政庁による自力執行を認めたとしても，債権者は国または自治体です。法治主義行政などによる民主的な監督が及ぶかぎり，強引な強制や取り立ての心配は少ないと言えます。

行政上の義務や債務については，公益に直接関係するものであるので迅速な実現も要求されます。

これらが，行政行為によって生じた義務や債務につき行政庁が自力執行できる理由です。

なお，私人の義務が行政行為という権力的な行政活動によって発生した場合のみ，行政庁の自力執行が可能であることに注意しなければなりません。

行政契約によって私人が負った債務については，自力執行は認められず通常の民事上の債務と同じように扱われます。

例えば租税を滞納した場合には，行政庁である税務署長が直ちに滞納者の財産を差し押さえることができます。

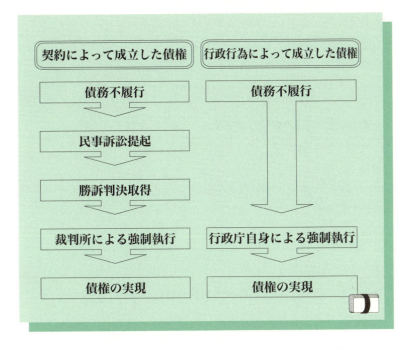

契約によって成立した債権	行政行為によって成立した債権
債務不履行	債務不履行
民事訴訟提起	
勝訴判決取得	
裁判所による強制執行	行政庁自身による強制執行
債権の実現	債権の実現

　しかし水道料金の滞納については，通常の契約上の債権とし
て，行政主体である市町村が裁判所の判決を得ることが必要で
す。

　現実には，水道料金の滞納の場合に判決を得て強制執行が行
われることは少なく，水道法15条3項に基づく給水の停止が
行われるのが普通です。

water道法15条〔給水義務〕③水道事業者は，当該水道により給水を受ける
者が料金を支払わないとき，正当な理由なしに給水装置の検査を拒んだと
き，その他正当な理由があるときは，前項本文の規定にかかわらず，その
理由が継続する間，供給規程の定めるところにより，その者に対する給水
を停止することができる。

給水停止の本質は，契約上の相手方が債務を履行しなければ
自分も債務を履行する必要がないという，一種の同時履行の抗
弁権（民法533条）の行使ですので，裁判所の判決を得る必要
はありません。

❖債権の種類による執行方法の違い

　民事上の強制執行については，民事執行法という統一的な一
般法規があります。

　しかし，行政上の強制執行ではこれにあたる統一法がなく，
債務の種類性質に応じて執行方法を定めた個別の法律があるだ
けです。

　債務の性質については，金銭債務と作為債務の区別が重要で
す。

　作為債務とは，障害物を撤去する，建物から退去するなど，
一定の行為をすることを内容とする義務ないし債務をいいます。

　作為債務は，建物からの退去義務のように義務者自身が行わ
なければ意味のないもの＝非代替的作為義務と，障害物撤去義
務のように第三者が代わって行える性質のもの＝代替的作為義
務とに分けられます。

民法533条〔同時履行の抗弁〕双務契約の当事者の一方は，相手方がその
債務の履行（債務の履行に代わる損害賠償の債務の履行を含む。）を提供
するまでは，自己の債務の履行を拒むことができる。ただし，相手方の債
務が弁済期にないときは，この限りでない。

①代替的作為義務：本来の義務者の代わりに他人が行ったとしても，目的が達成される義務。
②非代替的作為義務：本来の義務者自身しか行うことができないか，本来の義務者自身が行わなければ意味のない義務。

金銭の支払義務は，代替的作為義務の極致とも言えるもので，金銭債務として独自に分類されます。

	作為債務		金銭債務
	非代替的作為義務	代替的作為義務	
行政行為による場合の執行方法	原則としてなし	代執行 (行政代執行法)	強制徴収 (国税徴収法)
契約による場合の執行方法	間接強制 (民事執行法172条)	代替執行 (民事執行法171条)	直接強制 (民事執行法43条～)

　行政上の強制執行は表に示したように，**代執行**と呼ばれる，他人が義務を代わって行い，本来の義務者からかかった費用を徴収する方法が中心です。

　また金銭債務については，国税徴収法に定める**強制徴収**が重要です。形式的には，税金の滞納に対してだけ適用される法律ですが，各種の法律で国税徴収法が準用されているので，事実上，行政行為により発生する金銭債務に関する強制執行の一般法といえます。

一方，非代替的債務を強制的に実現する方法は今日ではほとんど存在していません。

かつては義務履行を怠る者に，心理的や物理的に圧力を加えて無理やり行わせるという方法が取られていました。

しかし，嫌がる者に強いて行わせても現実の効果はほとんどなく，合理的でないことが明らかになってきたためです。

現在は非代替的義務について，刑罰で罰則を与えれば行政目的を達成するのに十分であると考えられています。

契約によって発生した民事上の非代替的債務も，建前としては心理的に圧力を加える間接強制という方法がありますが，嫌がる者に無理やりやらせても効果が薄い点は同じです。実際には，損害賠償という金銭債務に形を変えて満足をはかるのが一般的といえます。

あえて刑罰覚悟で非代替的義務を履行しない者には，それ以上の強制的な義務履行は求めない建前となっています。

❖行政代執行

撤去を命じられた違法工作物，産業廃棄物（廃棄物処理法19条の5：1項1号など），違法広告などを撤去することを命じられた者がその義務を履行しないときに，行政主体がその者の代わりに撤去を行い，かかった費用を本来の義務者に請求する手

廃棄物の処理及び清掃に関する法律19条の5：①産業廃棄物処理基準（…略…）に適合しない産業廃棄物の保管，収集，運搬又は処分が行われた場合において，生活環境の保全上支障が生じ，又は生ずるおそれがあると認められるときは，都道府県知事（…略…）は，必要な限度において，次に掲げる者（…略…）に対し，期限を定めて，その支障の除去等の措置を講ずべきことを命ずることができる。　1，当該保管，収集，運搬又は処分を行つた者　（後略）

続を行政代執行といいます（行政代執行法 2 条）。

行政庁が私人に対して、このような作為を命じることを、下命と呼びましたね。

作為債務に対する一般的な行政上の強制執行方法で、行政代執行法という法律が規定しています。

代替的な作為債務が不履行となった場合に行政庁が代執行を行うことを決定すると、本来の義務者にもう一度履行を促す手続＝戒告（行政代執行法 3 条）を経たうえで、行政庁が本来の義務者に代わって、障害物の撤去などを行います。

撤去等に要した費用は、この後に説明する金銭債務回収の手続に従って、本来の義務者の財産から徴収されます（行政代執行法 6 条 1 項）。

❖ 強制徴収

行政上の金銭債権を強制的に実現する手続を、強制徴収といいます。

国税徴収法が租税債権だけではなく、行政行為によって生じた金銭債権の強制徴収に関する事実上の一般法であることは、前述しました。

国税徴収法による強制徴収の概略は次のとおりです。

まず債務者に対して督促を行い、引き続き債務者の財産を差し押さえます（国税徴収法 47 条 1 項 1 号）。

国税徴収法 47 条〔差押の要件〕①次の各号の一に該当するときは、徴収職員は、滞納者の国税につきその財産を差し押えなければならない。
1，滞納者が督促を受け、その督促に係る国税をその督促状を発した日から起算して十日を経過した日までに完納しないとき。（後略）

そして，差し押さえた財産が現金や預金であればそのまま債権の満足にあてられ，動産や不動産などの財産であれば，売却によって現金化＝換価されたうえで，債権の満足にあてられます（国税徴収法89条1項）。

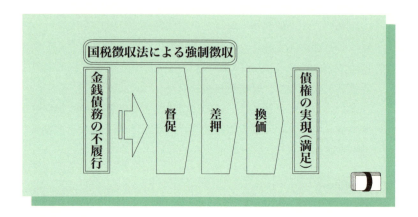

●2●
即時強制

　行政上の義務の強制は，まず行政行為によって私人に義務を課し，私人が任意に義務を履行しない場合に初めて，行政代執行や強制徴収などの手続が行われるというのが原則です。

　しかし行政上の義務の中には，任意の履行を期待する時間的余裕がないものや，行政行為によって義務があることをあら

国税徴収法89条〔換価する財産の範囲〕①差押財産（金銭，債権及び第五十七条（有価証券に係る債権の取立て）の規定により債権の取立てをする有価証券を除く。）又は次条第四項に規定する特定参加差押不動産（以下この節において「差押財産等」という。）は，この節の定めるところにより換価しなければならない。

128

かじめ私人に知らせたのでは，その目的を達することができないものが数多くあります。

　このような場合には，法律の規定によって私人に義務を命じることなく，いきなり強制的に私人の財産や身体に損害回復や防止に必要な措置などが取られることがあります。これを行政上の即時強制，あるいは単に即時強制といいます。

　即時強制は，もちろん具体的な法律の根拠が必要です。即時強制の代表的な例としては，警察官職務執行法による保護（警職法3条），避難（警職法4条）などがあります。

　警職法4条の避難について説明してみましょう。建物で爆発物が発見された場合に，まず行政行為によって建物管理者に在館者を避難させる義務を命じ，それが任意に行われない場合には……などとやっていたのでは間に合いません。ですから，即時に警察官自らが避難に必要な措置を行うことができるとしたのです。

　また，税金の滞納者に対する質問・検査（国税徴収法141条）などは，質問や検査をする相手にそのことを予告してから行ったのでは目的を達することはできません。抜き打ちで実施されるのが通常です。

　行政上の即時強制のうち，このような抜き打ちの立ち入り調査など，事前に行政行為で義務を命じていたのでは目的を達しない場合を特に**行政調査**と呼ぶことがあります。

・・

国税徴収法141条〔質問及び検査〕徴収職員は，滞納処分のため滞納者の財産を調査する必要があるときは，その必要と認められる範囲内において，次に掲げる者に質問し，又はその者の財産に関する帳簿書類（…略…）を検査することができる。（後略）

即時強制が，違法に私人に侵害を与える結果となったときは，もちろん国家賠償請求訴訟の対象となります。

●3● 行政罰

行政罰とは，行政上の義務違反に対して制裁として科される罰のことで，さらに行政刑罰と行政上の秩序罰の2種類に分かれています。

❖行政刑罰

行政上の義務違反に対して刑法に規定する刑罰を科すものです。刑法を適用し，そこに規定する刑罰を科すことになるため，罪刑法定主義が適用されます。したがって法律上の根拠が必要となります。また行政刑罰は，原則的に刑事訴訟法の手続に従って科されます。しかしより簡略な手続によるものもあります。例えば道路交通法上の反則金制度などがそれにあたります。

❖行政上の秩序罰

届出や登録を怠るというように，比較的程度の軽い行政上の義務違反に対して科すものです。行政上の秩序罰は刑罰ではないので，刑法・刑事訴訟法の適用はありません。

[問題]

行政強制に関する次の各記述の正誤を述べなさい。

ア）契約によって発生する民事上の債務については，自力執行は認められていません。したがって債権者は債務者が任意に履行しないとき，裁判所の勝訴判決を得てから，自ら強制力を行使して債権の実現をはかることになります。

イ）行政行為には公定力があるので，行政庁は私人に対して，裁判所の判決その他の債務名義を得ることなく，行政行為によって生じた私人の義務を自ら強制力を行使して実現することが可能です。

ウ）行政主体が私人に対して有する債権は，いかなる発生原因によるものであっても自力執行力が認められます。

エ）行政上の強制執行の一般法として，行政執行法という法律があり，民事上の直接強制にあたる履行の強制方法もこの法律で定められています。

オ）代替的義務とは，第三者が代わりに履行したとしても債権の目的を達成することができる義務をいい，妨害物の撤去義務などがその典型です。

カ）行政行為によって生じた代替的義務については，行政庁が当該義務を本来の義務者に代わって行い，かかった費用を本来の義務者から徴収することにより実現されます。

キ）上記代替的義務の強制執行によって生じた費用の支払義務については，国税徴収法の定めるところに従った強制徴収によって回収が行われます。

ク）非代替的債務については，義務者が任意に履行をなすまでの間過料を課し続け，間接的に履行を強制する方法が広く行われています。

ケ）行政庁が権力的手法によって行政活動を行う場合，まず行政行
　為によって具体的義務を課し，その義務が任意に履行されない場
　合に初めて物理的な強制力を行使します。いかなる場合でも，い
　きなり物理的な強制力を行使することは許されません。

[解答]

ア）誤：契約上の債務の実現について，自力執行が許されないこと
と裁判所の勝訴判決が必要だとする点は正しい。しかし，強制力を
行使するのは，裁判所が強制執行手続として行うのであって，債権
者自らが債務者に対して強制力を振るうわけではありません。

イ）誤：行政行為の公定力は，取消訴訟によらなければ行政行為の
瑕疵や過誤を主張できないという，通用力ないし拘束力を指します。
行政庁が裁判所の判決手続や執行手続によることなく，自ら強制力
を行使できる行政行為の効力は，自力執行力と呼ばれます。

ウ）誤：自力執行力は行政行為の効力の一つです。したがって自力
執行力が認められるのは，行政行為を発生原因とする債権に限られ
ます。行政主体が私人に対して有する債権であっても，行政契約に
よって発生した債権については自力執行力は認められません。

エ）誤：確かにかつては「行政執行法」という法律が，直接強制を
含む行政上の履行強制一般を扱う一般法でした。しかし，その実効
性などに疑問が持たれたため，戦後に廃止されました。現在では，
直接強制を含む行政強制の一般法は存在していません。

オ）正：これに対して，第三者が代わって行ったのではその目的を
達成できない義務ないし債務を非代替的義務といいます。

カ）正：行政代執行法は，行政行為によって生じた代替的義務の強
制履行に関する一般法です。

キ）正：国税徴収法の定める強制徴収は，租税の徴収や行政代執行
の場合に限らず，行政行為によって生じた金銭債務の支払義務の強
制的実現についての事実上の一般法と言えます。

ク）誤：非代替的債務について，債務者が任意に履行をなすまでの間，過料を課し続けて心理的な圧迫を加える方法は間接強制と呼ばれ，民事上の強制執行においては一般的な制度となっています（民事執行法 172 条）が，行政上の強制執行においては一般的な制度とは言えません。行政上の非代替的債務の不履行については，刑罰が科せられることは別論として，強制執行制度としては一般的な制度は存在しないと言えます。

ケ）誤：警察取締り，税務調査などに代表される行政活動分野では，緊急性や秘密性が高い場合に，あらかじめ行政行為による義務を課すことなくいきなり物理的な強制力を行使することもあります。「いかなる場合も」行政行為が先行しなければならないとするのは誤りです。

❶► 行政立法とは

　行政庁は法律の規定に従いながら，必要があれば裁量権を行使し，行政行為を筆頭とする各種の行政手法を駆使して，行政目的を達成していきます。
行政手続の項目で説明した，審査基準や処分基準も（行政手続法5条，12条），このような行政庁の活動の一つです。

　そのような具体的な活動と並行して，行政庁は，自ら活動の根拠となる法律の規定を補ったり，内部的な活動基準となるための，規定や規則を作成します。

　このような行政庁の活動を，行政立法といいます。

　行政庁の作成する規定や規則には，外部的な効力を持ち，私人や裁判所をも拘束するものと，内部的な事務処理基準に過ぎず行政主体とその機関を拘束するにすぎないものとがあります。

　前者を**法規命令**，後者を**行政規則（通達）**といいます。

　行政手続法の内部基準や処分基準は，（行政手続法5条，12条），行政庁の内部処理基準を定めるものですので，行政規則の例といえます。

①**法規命令**：外部的な効力を持ち，私人や裁判所をも拘束する
　　　　　　行政立法。政令，省令など。
②**行政規則**：行政主体や行政機関内部の事務処理基準を定めた
　　　　　　もの。通達，訓令，要綱など。

法規命令

　法治行政の原則によれば，行政庁の活動は，議会の制定した法律や条例に基づいて行われなければなりません。

　しかし，一般に議会の活動は物理的にも能力的にも限られているので，膨大かつ専門的な行政庁の活動のすみずみまで適切な内容を議会が法律や条例で定めることは，現実には不可能です。

　そこで，法律や条例それ自体ではおおまかな指針を定めるにとどめ，より具体的な内容や細目は，行政機関に権限を与えて定めさせた方が場合によっては合理的です。

　例えば産業廃棄物の処理などを規制する廃棄物処理法では，具体的にどのようなものが産業廃棄物に該当するかについて，内閣の定める法規命令＝政令に定義の一部を委ねています（廃棄物処理法2条4項1号）。

　これを受けて，廃棄物の処理及び清掃に関する法律施行令という政令では，具体的に産業廃棄物に該当する物質を詳細に列挙しています（同令2条）。

廃棄物の処理及び清掃に関する法律2条〔定義〕④この法律において「産業廃棄物」とは，次に掲げる廃棄物をいう。

1，事業活動に伴つて生じた廃棄物のうち，燃え殻，汚泥，廃油，廃酸，廃アルカリ，廃プラスチック類その他政令で定める廃棄物（後略）

このように，行政機関がある法律や条例を実施するために，その法律や条例で権限を与えられて制定する定めを法規命令といいます。

　法規命令は，上位に位置する規範から権限を与えられて作成されるものです。上位規範の法律や条例を補ってその一部をなすものです。対外的には法律や条例自体と同様の効力が認められます。

　私人は，法規命令を含めた全体としての法律や条例に従わなければなりません。また裁判所も，法規命令の内容を考慮して行政庁の活動が違法かどうかを判断しなければなりません。

　法規命令は，作成者の別によってその名称が異なります。しかし法規命令としての効力には違いはありません。

法規命令の例
①内閣が制定するもの (憲法73条6号) ＝政令
②各省の大臣等，国の行政庁が制定するもの (国家行政組織法12条1項，13条1項) ＝省令，外局規制
③地方公共団体の長が制定するもの(地方自治法15条1項) ＝規則

憲法73条：内閣は，他の一般行政事務の外，左の事務を行ふ。
6，この憲法及び法律の規定を実施するために，政令を制定すること。但し，政令には，特にその法律の委任がある場合を除いては，罰則を設けることができない。

また，法規命令を執行命令と委任命令に区別する場合もありますが，議会から授権されて作成する補助規範という本質に違いはありません。　実施に必要な細目事項

いずれにせよ，法規命令は上位規範の制定者である議会の委任がその制定根拠です。　国民の権利義務に関するルール

その委任は，具体的で限定的なものでなければなりません。法治行政ないし議会による行政活動の監督を無意味にするような白紙委任的な授権は，憲法に違反する（憲法41条）と考えられています。

●2●
行政規則（通達）

法規命令とは，上位法の授権に基づいて制定され，その上位法を補完するものとして私人や裁判所も拘束する性質のものでしたね。

一方このような授権に基づくことなく，行政庁が，事務の取扱いや内部部局の業務分配などの基準や規則を作成することがあります。

これらの基準や規則は，ときとして法規命令などの一般法規とかわりのない体裁を持つように見えます。しかしその本質は，上命下達という行政組織の本質に基づいて上司が部下に行う職務上の指示や命令を，書面化したものに過ぎません。

憲法41条：国会は，国権の最高機関であつて，国の唯一の立法機関である。

そしてその効力も，行政組織外部の私人や裁判所を拘束するものではなく，その行政組織内部の構成員を拘束するにすぎません。

このような性質を有する規範を，行政規則といいます。

一般の会社において上司が部下を指揮監督するのと同様，行政組織において，上位の機関が下位の機関に対して指示命令を行うのにいちいち法律の根拠は必要ありません。それは指示命令が書面でなされる場合でも同様です。

したがって法律の根拠や授権がなくとも，行政組織のトップである行政庁は自由に行政規則を制定することができます。またその制定される規則の名称にも，特に決まりはありません。

行政規則の名称の例
 各種通達，依命通達，訓令，要綱，告示，運用など

一般には，通達，依命通達，訓令，要綱などの名称で制定されることが多く，なかでも**通達**という用語は行政規則の別名の意味でも使われる一般的な用語となっています。

要綱という名称は，行政指導を行う際の発動基準や要領を定めた行政規則に使われることが多い名称です。例えば建築要綱，開発要綱などがあります。

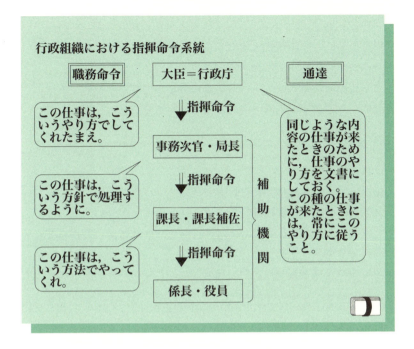

行政組織における指揮命令系統

| 職務命令 | 大臣＝行政庁 | 通達 |

この仕事は，こういうやり方でしてくれたまえ。

↓指揮命令

事務次官・局長

この仕事は，こういう方針で処理するように。

↓指揮命令

課長・課長補佐

この仕事は，こういう方法でやってくれ。

↓指揮命令

係長・役員

補助機関

同じような内容の仕事が来たときのために，仕事のやり方を文書にしておく。この種の仕事が来たときには，常にこのやり方に従うこと。

行政規則は，行政組織の内部でだけ通用するルールですから，通常の六法全書には載っていません。

通達に反した行政行為が行われても，それは内部基準の違反にすぎず，直ちに行政行為が違法となるわけではありません。一般には，違反した職員の公務員法違反の問題が生じるだけです。

逆に，通達に従ったことが，私人に対する関係で正しい行政活動をしたことの根拠とはなりません。行政規則の内容自体が合法的だという正統性の根拠はなにもないからです。

　したがって裁判所は，行政活動が違法かどうかを判断するに際して，通達等の内容を考慮することもありません。

行政規則の効力
①制定するのに法律の根拠は必要ない。
②私人の権利義務は行政行為の違法性とは関係がない。通達に違反したから違法となるわけではなく，通達に従ったからといって適法だというわけでもない。
③訴訟における裁判所の判断基準とはならない。

　このような内部規則に過ぎないものが，行政法の対象として議論されるのはなぜでしょう。

　現代の行政活動は行政庁の裁量が広範に認められることは既に学びました。この裁量権行使が，現実には通達や要綱に従って行われることが多いのです。行政規則の内容が，許認可の結果に実質的な影響を及ぼしているために，行政法の対象とされています。

　そこで，行政組織の内部規範であることは承知のうえで，行政規則になんらかの法的統制を加えようという学説があります。

　例えば大多数の者が通達に依拠した処分を受けたのに，一人だけ通達とは異なる基準による行政行為が行われた場合には，平等原則（憲法 14 条）違反を理由として当該行政行為を違法とすることなどを主張します。

また，特定の通達や要綱による取扱いが長年つづき半ば慣習化していたところ，突然通達や要綱を改正して取扱いを変更した場合，一種の信頼保護や信義則違反として当該改正行為を違法とすることが考えられます。

　さらに，通達自体の内容を争うことが不可欠という例外的な場合には，通達そのものの取消しを求める行政訴訟の提起を認めることなども主張されています。

　しかし，このような行政規則に対する外部的，司法的な統制は，いずれも現時点で判例の主流とはなっておらず，法規命令との性質的相違を峻別する伝統的な見解が維持されていると言えます。

行政規則に対する統制の可能性

①通達どおりに処分されなかったことにつき，平等原則（憲法14条）違反の主張。

②通達が突然改正されて損害を被ったことに対する違法性の主張。

③通達自体に対する取消訴訟の提起

＊いずれも，有力な主張ではあるが，判例の主流とまではなっていない。

［用語チェック］

□　行政活動には，行政行為，行政契約，行政指導のような個別具体的な活動ばかりではなく，それらについての一般的な基準を定立することも含まれる。このような一般基準を〔ア〕といいます。　　　　　ア：行政立法

□　〔ア〕のうち，法律や条例に根拠を持ち，その下部規範として法律や条例の一部をなすものを〔イ〕といいます。　　　　　　イ：法規命令

□　〔ア〕のうち，行政組織における上位機関の下部機関に対する指揮命令監督権を根拠として定立される，通達などの内部規範を〔ウ〕といいます。　　　　　　ウ：行政規則

□　内閣が制定する〔イ〕を，とくに〔エ〕といいます。　　　　　　　　　　　エ：政令

□　各省の行政庁が制定する〔イ〕を〔オ〕といいます。　　　　　　　　　　　オ：省令

□　〔カ〕は，条例を具体化するために，条例の委任に基づいて条例を具体化するための規則を制定することができます。　　カ：地方公共団体の長

□　〔イ〕は，法律や条例の内容を実質的に補う〔キ〕と，法律や条例を実施するための技術的細則などを定めるに過ぎない執行命令とに分類されることがあります。　　キ：委任命令

□　法律や条例の〔イ〕に対する委任が，広範で無限定に過ぎる場合には，その法理や条例および〔イ〕は，〔ク〕とされることがあります。　　　　　　　　ク：違憲

ケ：違法	□　行政庁が〔イ〕の定めに自ら違反した行政活動を行えば，その行為は〔ケ〕となり，行政訴訟による取消しや国家賠償請求訴訟による賠償の対象となります。
	□　行政庁が〔ウ〕の定めに自ら違反した行政活動を行った場合でも，対外的には〔ケ〕の問題は生じません。しかし公務員は，上司ないし上位機関の〔コ〕に従う義務があるので，服務上の問題は生じ得ます。
コ：職務命令，業務命令など	
	□　通達その他の〔ウ〕それ自体は内部規範にすぎず，私人の権利義務に影響を及ぼすものではないから，これを取り消したとしても私人の権利の救済とはならない。よって〔サ〕の対象とはならないとするのが，現在の判例の支配的見解です。
サ：取消訴訟	

❶▶ 取消訴訟

●1●
行政訴訟とは

　行政訴訟あるいは行政事件訴訟とは，一般的には行政事件訴訟法が定める訴訟の類型をいいます（行政事件訴訟法2条）。

　行政事件訴訟法は，民事訴訟の原理をその土台としながらも，通常の民事訴訟とは性質が大きく異なるさまざまな特別の類型や定めを置いています。

　取消訴訟は，そのような行政訴訟の類型の，最も代表的かつ重要なものです。

　取消訴訟以外の行政訴訟の種類には，右ページの図に掲げたものがあります。

　このうち，無効等確認訴訟と不作為の違法確認訴訟は，取消訴訟と同じく行政行為の瑕疵や違法性を争う訴訟で，**抗告訴訟**と呼ばれます（行政事件訴訟法3条1項）。

　行政訴訟は広い意味では，行政事件訴訟法以外の，国や自治体など行政主体を被告とする通常の民事訴訟を含む意味で使われることもあります。例えば，国家賠償請求訴訟がその例です。

　国家賠償請求訴訟は被告こそ国や自治体ですが，その訴訟手続は通常の民事訴訟そのものであり，行政訴訟としての手続的独自性には乏しいものです。

　また国家賠償請求以外の，損失補償や不当利得返還などを求める行政主体を被告とする訴訟は，形式上は行政事件訴訟法上の訴訟の一つである**当事者訴訟**（行政事件訴訟法4条）として争われることになります。

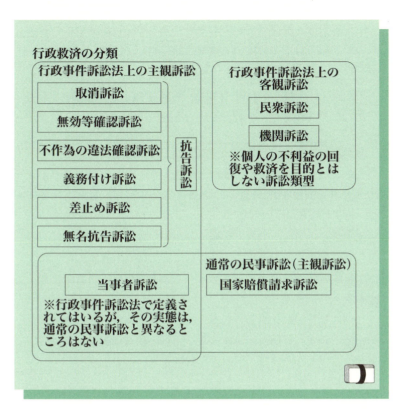

行政救済の分類

行政事件訴訟法上の主観訴訟

- 取消訴訟
- 無効等確認訴訟
- 不作為の違法確認訴訟
- 義務付け訴訟
- 差止め訴訟
- 無名抗告訴訟

抗告訴訟

行政事件訴訟法上の客観訴訟

- 民衆訴訟
- 機関訴訟

※個人の不利益の回復や救済を目的とはしない訴訟類型

当事者訴訟

※行政事件訴訟法で定義されてはいるが，その実態は，通常の民事訴訟と異なるところはない

通常の民事訴訟（主観訴訟）

国家賠償請求訴訟

この当事者訴訟も，国家賠償請求訴訟以上に，通常の民事訴訟と本質的に異なる部分はありません。実務上も「当事者訴訟」という用語や訴訟類型が意識的に用いられることはほとんどありません。

民衆訴訟や機関訴訟は，通常の民事訴訟とはまったく異なるタイプの訴訟です。

民衆訴訟とは，行政活動を監視する有権者が，行政の不適切な活動の是正を求めて起こす訴えです（行政事件訴訟法5条）。

民衆訴訟は，法律の規定がある場合のみに提起が認められる
もので，地方自治法の定める**住民訴訟**（地方自治法242条の2）
がその典型例です。

　行政庁とは，行政主体の手足となって，実際に
行政活動を行う機関のことでしたね。

　機関訴訟とは，複数の行政機関の間で行政活動についての権
限の争いが生じた場合に，裁判所が裁定を下すための訴訟です
（行政事件訴訟法6条）。私人が訴訟当事者となることがない点
で，特異な訴訟類型です。

　民衆訴訟や機関訴訟は，客観的な法の不適合を是正する目的
のために存在する訴訟です。司法権による個人の具体的な不利
益の救済という側面はありません。このような性質の訴訟を**客
観訴訟**といいます。

　これに対して抗告訴訟や当事者訴訟，あるいは国家賠償請求
訴訟は，いずれも個人の具体的な不利益の救済を要素としてい
ます。このような性質の訴訟を**主観訴訟**といいます。

①主観訴訟
　個人の権利保護を目的として，具体的な事実や権利義務の存
　否を争う訴訟
②客観訴訟
　抽象的な法解釈や違法性の有無等について裁定を下す訴訟

●2●
取消訴訟とは

　行政訴訟の中でもとりわけ重要なのが，取消訴訟という抗告訴訟の一類型です。以下では，取消訴訟について詳しく述べていきます。

　行政法の骨格を理解するうえで重要な概念として，本書では最初に，①行政庁②行政行為③取消訴訟の３つを挙げました。

　行政行為には公定力があるため，その行政行為に瑕疵や過誤があったとしても，当該処分を受けた私人は，訴訟外や通常の民事訴訟においては行政行為の過誤を主張することはできないのでしたね。

　とはいえ，本当に当該行政行為が瑕疵や過誤があるのであれば，その行政活動がそのまま放置されてよいはずはありません。

　法治主義の原則が空手形にならないよう，公の場においてきちんとその行政行為が違法であることが宣言されなければなりません。

....

地方自治法242条の２〔住民訴訟〕①普通地方公共団体の住民は，前条第一項の規定による請求をした場合において，同条第五項の規定による監査委員の監査の結果若しくは勧告若しくは同条第九項の規定による普通地方公共団体の議会，長その他の執行機関若しくは職員の措置に不服があるとき，又は監査委員が同条第五項の規定による監査若しくは勧告を同条第六項の期間内に行わないとき，若しくは議会，長その他の執行機関若しくは職員が同条第九項の規定による措置を講じないときは，裁判所に対し，同条第一項の請求に係る違法な行為又は怠る事実につき，訴えをもつて次に掲げる請求をすることができる。

1，当該執行機関又は職員に対する当該行為の全部又は一部の差止めの請求（後略）

そして何より，処分を受けた私人の不利益を回復させるために，違法な処分が取り消されることが必要です。

　このような目的のために，違法な行政行為の公定力を排除して当該行政行為を取り消す特別な訴訟を，取消訴訟といいます。

　そして，行政行為の安定性と確実性の見地から，取消の主張は取消訴訟の場においてのみ認め，訴訟外や通常の民事訴訟の場においては取消を前提とした主張を許さないことにしました。

　取消訴訟を提起できるのは，私人が処分・裁決を知った日から6ヶ月以内，あるいは処分・裁決の日から1年以内という短い期間に限られます。これも，行政行為の効力を早期に確定しようとする意図の表れです。

　　　これを出訴期間といいましたね。

　したがって，この期間を過ぎてしまえば，いかに違法な行政行為であったとしても，有効な処分として確定してしまいます。ただし正当な理由がある場合は提起可能とされています（行政事件訴訟法14条）。

　　　これは行政行為の不可争力でしたね。

●3●
処分性

　取消訴訟という制度は，違法な行政行為の公定力を否定するための制度です。

　したがって，取消訴訟の対象となるのは，行政行為という公定力を有する行政庁の行為に限られるのが原則です。

　行政訴訟法は，取消訴訟の対象を「行政庁の処分その他公権力の行使に当たる行為」としていますが（行政事件訴訟法3条2項），これはこの原則を表したものです。

「処分性」のある行政庁の活動でなければ取消訴訟の対象とはならない，という言い方がなされます。

行政庁の処分とはいえない行政活動が取消訴訟の対象として提起された場合，裁判所によって当該行政活動の内容の審査が行われることはありません。門前払い判決＝訴え却下がなされることになります。

「門前払い」とは，奉行所が，訴えることが許されない訴訟を願い出た者を奉行所の中に入れず門前で追い返したことに由来すると言われています。つまり，たんなる世俗的な用語ではなく法制史的にも却下判決を意味する用語と言えます。

もっとも学説では，行政行為以外の行政活動でも，取消訴訟で争わせることに意味がある場合には，取消訴訟の提起を認めてもよいとする見解も有力です。法治主義や不利益処分を受けた私人の保護を重視しようという考え方です。

処分性：「処分その他公権力の行使にあたる行為」とは何か。
①**判例の大勢**：行政庁が一方的，権力的に私人の権利義務を設定する，いわゆる行政行為に限定。
②**学説**：処分性の中核が行政行為にあることを前提としながらも，その周辺の非権力的行政活動にも，必要に応じて処分性を認めるべきだと主張する。

判例の立場を前提とした場合，「処分その他公権力の行使」
にあたらないために取消訴訟の対象とならない行政活動の例と
して，次のようなものが挙げられます。

❖事実行為

　「取消」とは，既に生じた法律効果を否定することです。で
すから，法律上の効果が生じない単なる事実行為には処分性は
認められません。建築や建設それ自体は事実行為の例です。違
法な建造物の建築や建設については，その建物建築の前提とな
る建築確認や建設許可などの行政行為を取消訴訟の対象とすべ
きです。単なる事実行為にすぎない建築や建設それ自体を取消
訴訟の対象とすることはできません。
　ただし事実行為でも，人の自由や物の支配が私人から奪われ
ている状態が現に継続している場合は，「その他公権力の行使
にあたる行為」として処分性が認められます。

❖行政指導

　行政指導は，私人に対して任意の協力を求めるにすぎず，私
人の権利義務に影響を与えるものではないので，処分性は認め
られません。

❖行政契約

　行政契約においては，行政主体と私人が対等な関係です。合
意に基づき締結する非権力的な行政活動ですから，その無効や
瑕疵の主張は通常の民事訴訟において行うべきであり，処分性
は認められません。

❖行政計画

　行政計画は，将来の行政行為その他の活動の指針や予定に過ぎません。計画段階では，私人に具体的な権利義務を設定するものではないので，処分性は原則として認められません。

　例外的に行政計画自体に処分性を認めた判例として，都市再開発法による市街地再開発事業の事業計画決定の取消訴訟や (最判平成 4 年 11 月 26 日民集 46 巻 8 号 2658 頁)，土地区画整理事業の事業計画決定の取消訴訟 (最判平成 20 年 9 月 10 日民集 62 巻 8 号 2029 頁) があります。事業計画の私人の権利義務に及ぼす直接性が考慮されたと考えられます。

❖通達その他の行政規則

　行政規則は行政組織の内部規範であり，組織外部の者の権利や義務に影響を及ぼすものではないので，処分性は原則として認められません。

❖政令，省令その他の法規命令

　法規命令の制定それ自体は，一般的規範の定立作用です。具体的な個人の権利義務は，その規範を私人に適用する行政行為があって初めて設定されます。処分性は原則として認められません。

　ただし，行政行為による適用を待たずに規範の制定が即私人の権利義務に影響を及ぼすようなケースでは，行政計画の場合と同様，例外的に処分性を認める余地があるでしょう。

●4● 原告適格

　取消訴訟は，違法な行政行為によって私人が被った不利益の救済を主要な目的とする訴訟です。したがって，救済を求めるに足る一定の資格がある者に限り提起することができます。これを**原告適格**といいます。

　行政行為の直接の相手方が原告適格を有することはもちろんです。

　問題となるのは，例えば電力会社に対して原発の設置許可がなされた場合（原子炉等設置法43条の3の5）に，地域住民などの第三者が許可処分の不当を主張して取消訴訟を提起できるかどうかです。

　処分の対象者以外の者が取消訴訟を提起できる場合について，行政事件訴訟法は，第三者であっても「取消しを求めるにつき法律上の利益を有する者」であれば，取消訴訟の原告適格を認めています（行政事件訴訟法9条）。

　しかし「法律上の利益」が認められるか否かの判断基準が法定されていなかったため，原告適格の範囲が狭く解釈されがちでした。そこで平成16年改正で9条2項を新設し，これまでの最高裁判例の動向を踏まえた解釈規定を定めました。

　それによれば，「法律上の利益」の有無を判断するに当たっては，「当該法令の趣旨及び目的並びに当該処分において考慮されるべき利益の内容及び性質を考慮する」こととしています（9条2項前段）。さらに，①「当該法令の趣旨及び目的」を考

核原料物質，核燃料物質及び原子炉の規制に関する法律43条の3の5〔設置の許可〕①発電用原子炉を設置しようとする者は，政令で定めるところにより，原子力規制委員会の許可を受けなければならない。

慮するにあたっては，目的が同じ関係法令があるときはその趣旨・目的にも配慮すること②「当該処分において考慮されるべき利益の内容及び性質」を考慮するにあたっては，根拠法令に違反する処分や裁決によって害されることになる利益の内容・性質，その害される態様・程度も配慮することが定められています（後段）。

　原子力発電所の設置許可について言えば，その設置基準などを定めた法律は，既存の電力会社の経営維持や抽象的な公益一般だけのために制定されたのではありません。周辺住民の生命，身体の安全の具体的な確保をも目的としていると考えられます（原子炉等設置法43条の3の6：1項3号，4号）。したがって，この場合の周辺住民には原告適格があると考えられます。

　これに対して，例えば質屋の営業許可（質屋営業法2条）は，金融業にふさわしくない者が質屋の営業を行って不特定人を害することを防止するという抽象的な公益が目的です。

　つまり既存の質屋営業者や周辺住民の具体的な利害の保護が質屋営業法の目的ではありません。

核原料物質，核燃料物質及び原子炉の規制に関する法律43条の3の6〔許可の基準〕①原子力規制委員会は，前条第一項の許可の申請があつた場合においては，その申請が次の各号のいずれにも適合していると認めるときでなければ，同項の許可をしてはならない。
3，その者に重大事故（発電用原子炉の炉心の著しい損傷その他の原子力規制委員会規則で定める重大な事故をいう。〔略〕）の発生及び拡大の防止に必要な措置を実施するために必要な技術的能力その他の発電用原子炉の運転を適確に遂行するに足りる技術的能力があること。
4，発電用原子炉施設の位置，構造及び設備が核燃料物質若しくは核燃料物質によつて汚染された物又は発電用原子炉による災害の防止上支障がないものとして原子力規制委員会規則で定める基準に適合するものであること。

このような場合には，原告適格を有するのは許可処分の対象となった者だけで，既存業者や周辺住民には原告適格が認められないことになります。

仮に既存業者や周辺住民に訴訟を提起する切実な事情があったとしても，それは法律が本来意図した利害ではなく，「反射的利益」にすぎないという言い方がされます。

なお，法の保護する利益の判断に際しては，規制法規の趣旨や目的をその法律が制定された時点での議会の意図＝立法趣旨に限定するのではありません。法律全体の解釈によって決めるものと考えられています。

①法律上の利益を有する者
　行政行為の根拠となる法律が，その立法趣旨や規制目的として保護しようとしている利益を有する者。
②反射的利益を有するにすぎない者。
　行政行為の根拠となる法律が本来意図している保護法益以外の，事実上の利害を有するにすぎない者。

質屋営業法２条〔質屋営業の許可〕①質屋になろうとする者は，内閣府令で定める手続により，営業所ごとに，その所在地を管轄する都道府県公安委員会（以下「公安委員会」という。）の許可を受けなければならない。

●5●
被告適格

　取消訴訟の被告は行政主体です。処分又は裁決をした行政庁が国に所属すれば被告は国，自治体に所属すれば被告は自治体となります（11条1項）。

　ところで，平成16年改正以前は，行政庁が被告とされていました。

　アレッ？行政活動によって生じた権利義務は行政主体に帰属するのに，なぜ処分庁が被告になるの？と思われた人もいるでしょう。もっともな疑問です。

　この点について行政事件訴訟法は，権利義務の帰属の有無にこだわらずに，行政行為の効力を争う当事者としては行政行為を行った当の行為機関自体を被告とするのが適当であるという理由から，行政庁を被告としていました。しかし，被告となる行政庁の特定が困難な場合があるため，行政主体を被告にするという変更が行われたのです。

　平成26年に行政不服審査法が改正されましたが，不服申立ての相手方は行政庁のままとなっています（行政不服審査法5条～8条）。

....

行政事件訴訟法11条〔被告適格〕①処分又は裁決をした行政庁（処分又は裁決があつた後に当該行政庁の権限が他の行政庁に承継されたときは，当該他の行政庁。以下同じ。）が国又は公共団体に所属する場合には，取消訴訟は，次の各号に掲げる訴えの区分に応じてそれぞれ当該各号に定める者を被告として提起しなければならない。
1，処分の取消しの訴え　当該処分をした行政庁の所属する国又は公共団体　　2，裁決の取消しの訴え　当該裁決をした行政庁の所属する国又は公共団体

●6●
訴えの利益

　取消訴訟は，行政庁によって不利益な処分を受けた者の救済を最大の目的としています。

　したがって，仮に行政行為を違法として取り消した場合に，原告適格を有する者に，回復される現実の利益がなければ，そもそも訴えの提起自体が認められません。

　これを，訴えの利益といいます。

　原告適格も，一種の訴えの利益に類似した問題なので，この場合の訴えの利益を特に「狭義の訴えの利益」と呼ぶことがあります。

　例えば，道路交通法による運転免許停止処分 (道交法103条)を受けた者が，処分を不服として取消訴訟を提起したとしましょう。この場合に，取消訴訟を提起する前または判決がなされる前に，肝心の免許停止期間が経過してしまったとしたら，どうでしょう。

・・

道路交通法103条〔免許の取消し，停止等〕①免許（仮免許を除く。以下第百六条までにおいて同じ。）を受けた者が次の各号のいずれかに該当することとなつたときは，その者が当該各号のいずれかに該当することとなつた時におけるその者の住所地を管轄する公安委員会は，政令で定める基準に従い，その者の免許を取り消し，又は六月を超えない範囲内で期間を定めて免許の効力を停止することができる。ただし，第五号に該当する者が前条の規定の適用を受ける者であるときは，当該処分は，その者が同条に規定する講習を受けないで同条の期間を経過した後でなければ，することができない。

5，自動車等の運転に関しこの法律若しくはこの法律に基づく命令の規定又はこの法律の規定に基づく処分に違反したとき。

この場合，仮に原告が勝訴し処分が取り消されたところで，もはや原告には免許停止処分については，回復する現実的な利益はありません。

　もっとも，いわゆる免停期間は経過したとしても，違反点数の累積状態が存在している場合があります。

　この場合には，原告には「取消しによって回復すべき法律上の利益」（行政事件訴訟法9条1項かっこ書き）が残されており，訴えの利益があると認められます。

　しかし，違反点数の累積期間＝通常1年が経過してしまえば，もはや取消によって回復する現実的な利益は何も残っていません。このような場合には，訴訟を続けて判決による救済を与える意味がなく訴えの利益がないといえます。

（狭義の）訴えの利益
①その者が勝訴判決によって処分の取消しを得たときに，回復される現実の利益が存在しなければならない，という原則。
②回復される現実の利益は，直接処分の対象として失ったものである必要はないが，「法律上の利益」と呼べるものでなければならない。

●7●
出訴期間

　抗告訴訟のうち取消訴訟では，訴訟の提起が許される期間について厳しい制限があります。この出訴期間を経過したときは当該行政行為は有効なものとなり，もう争うことができなくな

るという不可争力があることは，前にも述べました。

　出訴期間は，処分を知ったときから 6 か月，あるいは処分の日から 1 年という短い期間が設定されています（行政事件訴訟法 14 条）。この期間を経過してから取消訴訟を提起すれば，原則として裁判所によって，門前払いを意味する却下判決がなされることになります。

●8● 取消訴訟の審理と判決

　取消訴訟は，行政行為の公定力を排除するという，特殊な目的のための訴訟です。ですから，その審理や判決も，一般の民事訴訟とは異なる制度が存在しています。

❖職権証拠調べ

　一般の民事訴訟には，弁論主義という原理が適用されます。その結果，裁判所は当事者の申し出た証拠だけを事実認定に使用しなければなりません。

　これは，私人の権利義務に関する裁判では，できる限り私的自治の原則に基づいて紛争が解決されるべきだと考えられ，裁判所はいらぬおせっかいをやくべきではないと考えられているからです。

　これに対して，取消訴訟やその他の抗告訴訟は，確かに処分によって不利益を受けた私人の救済を第一の目的とはしていますが，同時にそれは行政活動が法律に従って正しく行われたかどうかという，公益一般にも関わりのある紛争だと言えます。

　したがって，裁判所は必要があるときには証拠の提出に積極的に関与すべきで，当事者が取り調べることを求めていない証拠であっても，自らのイニシアチブでこれを取り調べることが

できるとされています（行政事件訴訟法 24 条）。これを，職権証拠調べといいます。

❖釈明処分の特則制度

16 年改正で新設された制度です。民事訴訟法 151 条（釈明処分）の特則にあたります。行政事件訴訟の審理手続は法制度的にも運用においても行政側に有利になりがちだったため，国民の側からの審理の充実・促進のため新設されました。

すでに存在する処分・裁決を争う訴訟において，裁判所が釈明処分として行政庁に対し①処分又は裁決の理由を明らかにする資料の提出を求めることができる②審査請求における事件の記録の提出を求めることができるという内容です（行政事件訴訟法 23 条の 2)。

❖本案判決と訴訟判決

取消訴訟の提起がなされると，裁判所はまず，今までに述べたところの処分性の有無，原告適格，被告適格，訴えの利益，出訴期間などの各要件を調査します。

これらの要件は，裁判所が審理・判決を行ううえでの前提要件であり，「訴訟要件」と呼ばれます。

訴訟要件が一つでも欠けていて補正の見込みもない場合，裁判所は取消訴訟の対象となっている行政行為の内容の当否には立ち入ることなく，当該訴えについては審理や判決を行うことができない旨の門前払いの判決を言い渡します。これを訴え却下の判決といいます。

一方，訴訟要件が欠けていない場合には，裁判所は原告によって主張された行政行為の違法性を具体的に審理します。これを実体審査といいます。原告の言い分が正当であれば当該行政行

為を取り消す判決を言い渡し，原告の主張に理由がなければ，請求棄却の判決を言い渡します。

取消訴訟の判決

①**訴え却下**：訴訟要件が欠けているために行政行為の内容の当否に踏み込まずに原告敗訴を言い渡す，門前払いの判決。

②**請求棄却**：行政行為の内容の当否＝実体審理を行った結果，当該行政行為には，原告主張のような違法性が認められないことを理由とする原告敗訴の判決。

③**請求認容（取消判決）**：実体審理を行った結果，原告の主張どおり当該行政行為が違法であると判断されたため，当該行政行為を最初にさかのぼってなかったものとする原告勝訴の判決。

❖**事情判決**

　実体審理を行った結果，原告の主張どおり違法な行政行為であった場合でも，その行政行為を取り消すと社会・経済的な損失や影響があまりにも大きい場合があります。

　例えば高速道路の建設許可が違法であった場合に，取消しの判決を言い渡すと許可処分は最初からなかったことになり，高速道路の存在に根拠がなくなってしまいます。

　かといって，すでに建設された高速道路を撤去させることは，公共の経済的，社会的利益からみて妥当とは言えない場合もあるでしょう。

　このような場合には，判決では行政行為の違法を宣言するにとどめ，行政行為を取り消さないことが認められます。これを

事情判決といいます（行政事件訴訟法31条）。

　事情判決は，形式的には原告の請求を棄却する原告敗訴の判決です。

　しかし，原告の主張に理由があることが認められ違法が宣言されることによって，原告は損害の賠償を被告に求めることができます。したがって，実質的には原告の一部勝訴判決と言えます。

衆議院議員定数配分不均衡是正訴訟の最高裁判決も事情判決のひとつです。

●9●
執行停止と内閣総理大臣の異議

　行政行為による許可や認可がなされると，引き続きそれを前提とした，工事や営業などの事実行為が行われることになります。

　このような行政活動の一連の流れは，前提となる行政行為について取消訴訟が提起されたとしても，止まることはありません。

　訴訟が提起された都度，公共工事などが止まってしまうのであれば，公共性のある行政活動が著しく遅れてしまうからです。

　原告の執行継続による不利益より·も公益を優先したこの制度を，執行不停止の原則といいます（行政事件訴訟法25条1項）。

　例外的に，執行不停止の原則を貫くと原告に回復困難で重大な損害が生ずるおそれがあるときは，裁判所の判断によって，執行の一時停止を行政庁に命ずることができます（行政事件訴訟法25条2項）。これを執行停止と呼びます。

　不特定多数人の利害＝公益は，一私人の利害＝私益に優先することが多いにせよ，取消訴訟は私人の不利益救済のための制度ですから，このような例外措置が認められているのです。

ただし，この執行停止の例外措置には，内閣総理大臣の異議というさらなる例外措置が存在します。

　執行停止によって行政活動が停滞することについて，行政権の最高責任者である内閣総理大臣が異議を述べた場合には，執行停止は認められません（行政事件訴訟法 27 条）。

　この制度については，司法権の行った決定を内閣総理大臣の単独の意思でくつがえすことを認めたもので，三権分立との関係で問題がないわけではありません。

　判例は本制度を合憲としています。一方，学説上は違憲ないし，少なくとも立法論上好ましくないとする見解が多数です。

進行中の行政活動と，取消訴訟の提起

①原則：執行不停止（25 条 1 項）
　取消訴訟の提起は，その行政行為を前提とする行政活動の進行に影響を及ぼさない。

②例外：執行停止（25 条 2 項）
　原告に回復困難で重大な損害が生じうる緊急の場合には，裁判所は，取消訴訟の対象となっている行政行為を前提とする行政活動の一時停止を，行政庁に命じることができる。

③再例外：内閣総理大臣の異議（27 条）
　裁判所の執行停止の決定に内閣総理大臣が異議を述べたときは，裁判所は執行停止を命ずることはできない。

❷ ▶ その他の抗告訴訟

●1●
無効等確認の訴え

　行政行為に瑕疵や過誤があっても，それは取り消し得るにとどまるのが原則ですが，瑕疵や過誤が「重大かつ明白」な場合には，例外的に当該行政行為は無効との評価を受けることは既に述べました。

　行政行為の無効の項目をもう一度確認してください。

　行政行為が無効であれば，本来は抗告訴訟によるまでもなく訴訟外や通常の民事訴訟において，いつでも行政行為の無効を前提とした主張をすることができるはずです。

　ただ，訴訟外の手段で権利保護がはかれない場合もありうることを想定し，無効とされる行政行為やそれに続く行政活動による不利益からの救済手段として用意されているのが，無効等確認の訴えです（行政事件訴訟法3条4項，36条）。

　無効等確認訴訟も，取消訴訟と同じ抗告訴訟の一つですが，無効な行政行為には公定力や不可争力もないため，出訴期間の制限がないことが大きな特徴です。

●2●
不作為の違法確認の訴え

　行政庁に許可や認可などを申請したにもかかわらず，行政庁が何の応答もせずに放置している状態が続いた場合に，そのような状態を違法と評価し解消をはかるための訴訟が，不作為の違法確認の訴えです（行政事件訴訟法3条5項，37条）。

いまだ行政行為が行われていない場合の私人の救済については，取消訴訟や無効等確認訴訟の手段をとることができません。ですから，このような新たな救済のための訴訟類型を設ける必要があるのです。

　もっとも，平成16年の改正で義務付け訴訟が創設されたため，行政庁の不作為に対しては，義務付け訴訟による救済がより直截的だと思われます。

抗告訴訟の種類
①**取消訴訟**
②**無効等確認訴訟**
③**不作為の違法確認訴訟**
④**義務付け訴訟**
⑤**差止め訴訟**

　上の黒板の④と⑤については，次ページで説明します。

●3●
義務付け訴訟・差止め訴訟

　行政事件訴訟法に定めのある抗告訴訟を法定抗告訴訟と呼ぶのに対して，定めがないものを無名抗告訴訟と呼んでいます。

　行政事件訴訟法は，抗告訴訟について法定抗告訴訟を指すと明言していないため，無名抗告訴訟という形態が認められると考えられています。

　無名抗告訴訟がどこまで認められるかについては，法文上には規定がありません。かつては，義務付け訴訟や予防的差止め訴訟が代表的なものとして挙げられていましたが，平成16年改正で法定されました。

　義務付け訴訟とは，裁判所が行政庁の特定の行政行為をするように命ずることを求める訴訟です。(3条6項，37条の2，37条の3)。

　差止め訴訟とは，行政庁がいまだ行政行為を行っていないが，将来的に特定の行政行為を行う可能性が高い場合に，裁判所が行政庁に対してその行政行為をすることを禁止することを求める訴訟です。(3条7項，37条の4)。

　また，仮の義務付け，仮の差止め制度もあります (37条の5)。

［用語チェック］

ア：法定抗告訴訟
イ：無名抗告訴訟
（または法定外抗告訴訟）
ウ：取消訴訟
エ：無効等確認訴訟

オ：不作為の違法確認訴訟
カ：義務付け訴訟
キ：差止め訴訟

ク：取消訴訟

□ 抗告訴訟には，行政事件訴訟法で定められている〔ア〕と，そのような定めのない〔イ〕に分類されます。

□ 従来より〔ア〕には，行政行為の取消を求める〔ウ〕，無効な行政行為であることの宣言を求める〔エ〕や，申請に対する行政行為がなされずに放置されているときに，そのような状態が違法であることの宣言を求める〔オ〕があります。

□ 上記のほか，行政庁に特定の行政行為をするよう命ずる〔カ〕と，特定の行政行為を行わないよう禁止する〔キ〕も〔ア〕です。

□ 行政事件訴訟法14条の出訴期間の定めは，〔ク〕についてのみ適用があり，他の抗告訴訟については出訴期間の適用はありません。

［問題］

取消訴訟に関する次の各記述の正誤を述べなさい。

ア）取消訴訟，無効等確認訴訟，当事者訴訟は，抗告訴訟とよばれる行政訴訟の類型です。

イ）抗告訴訟は，私人の不利益を救済するための訴訟であり，客観訴訟に位置付けられます。

ウ）民衆訴訟や機関訴訟は，法律の運用や適用の適法性や権限分配の妥当性などを裁判所が審査する，主観訴訟とよばれる類型に分類されます。

エ）取消訴訟の対象は，行政処分その他の公権力の行使に限られず，行政指導や行政契約などの非権力的な行政活動が広く対象となります。

オ）行政計画は，具体的な私人の権利義務を決定するものではないから，原則として取消訴訟の対象となる処分にあたりません。

カ）行政立法は，法規命令であると行政規則であるとを問わず，それ自体は取消訴訟の対象である処分にあたらないというのが原則です。

キ）取消訴訟は，処分の対象者に限らず，その処分によって何らかの不利益や損害を被った者ならば提起することができます。

ク）国税の賦課処分に対する取消訴訟は，所轄の税務署長を被告として提起しなければなりません。

ケ）原告適格がある者でも，処分の取消を得ることによって具体的に回復される法律上の利益がなければ，取消訴訟を提起することはできません。

コ）取消訴訟は，処分の日から6ヵ月が経過すると，原則としてこれを提起することができなくなります。

サ）取消訴訟には弁論主義が適用されるため，裁判所は当事者が申し出ない証拠を取り調べることはできません。

シ）裁判所は，原告の訴えが訴訟要件を満たしていない場合でも，当該行政行為が合法であることが問題なく認められるのであれば，

請求棄却の判決を行うことができます。

ス）裁判所は，原告の主張どおりに行政処分が違法であることが判明した場合でも，原告の請求を棄却できる場合があります。

セ）原告適格がある者から，訴訟要件を満たした取消訴訟が提起されたときは，当該行政処分を前提とする行政活動は一時停止されます。

[解答]

ア）誤：当事者訴訟は，抗告訴訟ではありません。

イ）誤：私人の不利益救済は，個人の具体的な権利義務に関する紛争の解決であるから，主観訴訟に位置付けられます。

ウ）誤：個人の具体的な権利義務を離れた客観的な適法性の判断や機関相互の権限分配に関する訴訟は，客観訴訟と呼ばれます。

エ）誤：取消訴訟の制度趣旨は，行政行為の公定力を排除して私人を救済するという点が出発点となります。仮に判例の見解よりも処分性を広く捉えるとしても，「非権力的な行政活動が広く対象となる」とするのは誤りです。

オ）正：行政計画が，将来の行政行為その他の行政活動の予定や指針であることは，青写真論と表現されることがあります。

カ）正：行政規則については，行政組織内部の規範であることから処分性はないとするのが通説・判例です。法規命令については，例外が生じる余地はあるが，抽象的な法規の段階ではいまだ具体的な処分とはいえないとするのが支配的な見解です。

キ）誤：処分の当事者以外の者が取消訴訟を提起するには，「取消しを求めるにつき法律上の利益を有する者」であることが必要であり（行政事件訴訟法9条），何らかの利益があるという程度では足りません。

ク）誤：取消訴訟は，処分を行った行政庁ではなく，その行政庁が所属する行政主体に提起しなければなりません。国税の賦課処分に

対する取消訴訟は，国を被告として提起することになります。

ケ）正：取消訴訟は，違法な行政行為によって生じた不利益を回復させることを目的としているから，原告適格とは別個に，狭義の訴えの利益が存在していることが必要です。

コ）誤：処分を知った日から6ヵ月か，処分の日から1年が取消訴訟の出訴期間です。

サ）誤：取消訴訟には，行政活動における公益の維持という側面もあるため，裁判所は当事者の申し出のない証拠を取り調べる，いわゆる職権証拠調べを行うことができます。

シ）誤：訴訟要件は本案判決の前提要件であり，これを欠くときは必ず訴え却下の判決をしなければなりません。

ス）正：行政行為を取り消すことが公益に著しく反するときは，いわゆる事情判決という，請求棄却の判決を言い渡すことができます。

セ）誤：執行不停止の原則により，対象となる行政処分を前提とする行政活動は，取消訴訟の提起によって中断されないのが原則です。

行政内部による審査

行政活動に対する私人の救済は，戦前は行政権内部のいわば身内の審査によっていたということを0時間目に説明しました。

訴願法という法律によって、処分を行った行政庁に救済を求めることができました。

戦後になって行政事件訴訟法が制定され，司法権による統制が制度として確立した後も，行政内部による審査制度が全く意味を失ったわけではありません。

確かに，司法権による統制のような厳格な中立性や公正性は期待することができません。しかし，行政内部の審査には迅速性，簡易性，柔軟性といったメリットがあることも事実です。

行政行為に対する私人の救済手段

Ⅰ．行政事件訴訟法による取消訴訟

(長所) 中立，公正

(短所) 煩雑，時間と費用がかかる。違法審査だけなので判断が硬直的

Ⅱ．行政不服審査による不服申立て

(長所) 簡便，安価，迅速。妥当性審査も行えるので柔軟な判断が可能

(短所) 行政内部審査なので，中立性や公正性に疑問が生じやすい

そこで，現在でも行政権内部の審査は，行政事件訴訟法による司法審査と並行して，私人を行政処分による不利益から救済する一般的な制度として存続しています。これを**行政不服申立て**といいます。

行政庁は処分する際に，処分の相手方や利害関係人に対し不服申立てに関する一定の事項を教えなければなりません（教示制度）。

行政不服申立ての手続は，行政不服審査法という法律が定めています。

● 2 ●
自由選択主義と不服申立前置主義

行政不服申立ては，行政処分に不服のある私人の申立て行為によって行われる点では，取消訴訟と同様です。

そこで，瑕疵や過誤のある行政行為を受けた私人が救済を求めるには，行政事件訴訟法の取消訴訟による方法と，行政不服審査法の不服申立てによる方法の，二つがあることになります。

このどちらの方法によるかは，行政処分に不服のある私人の判断に委ねられるのが原則です（行政事件訴訟法8条1項本文）。これを自由選択主義といいます。

もっとも，個別の行政作用法によっては，まず不服申立てを行って，それが却下されてからでなければ取消訴訟を提起することができないことが定められています。

このような自由選択主義に対する例外を，不服申立前置主義といいます。

不服申立前置を定めた法律は，租税法などを中心に数多く存在し，裁判を受ける権利を制限していると批判されていました。そこで，平成26年改正の際に，不服申立前置の廃止・縮小が

なされました。

①自由選択主義 (原則)：不服申立てによるか，取消訴訟によるかを，私人が選択できる。
②不服申立前置主義 (例外)：不服申立てが却下された後でなければ，取消訴訟を提起することはできない。

●3●
審査請求への一元化

　従来の不服申立ては，行政行為を行った行政庁に処分の再考を求める異議申立てと，行政行為を行った行政庁以外の行政機関に処分の審査を求める審査請求という二つの手続がありました。しかし，異議申立ては，審査請求と比べて手続の客観性・公正性が十分でないことや，二つの手続があることが国民にとって分かりづらいことなどの理由から，平成26年の行政不服審査法改正で，異議申立て手続が廃止されました。

　他方で，新法は，法律に特別な規定がある場合に限り，審査請求とは別に，処分庁に対する**再調査の請求**もすることができるとしました（行政不服審査法5条1項）。行政行為の性質によっては，その事案の内容等を容易に把握できる処分庁に対して，簡易な手続でその見直しを求めることの方が合理的といえる場合があるからです。

　また，**再審査請求**といって，審査請求の裁決の内容に不服のある審査請求人が，別の行政機関に対して，処分の内容と裁決の内容を審査することを求める制度もあります。ただし，行政不服審査制度は簡易迅速な権利救済を目的としているため，再

審査請求も，法律に特別な定めがある場合に限られます（行政不服審査法6条）。

不服申立手続
原則：審査請求
法律に特別な定めがある場合：再調査の請求，
(審査請求後の)　再審査請求

●4●
不服申立手続の概要

　不服申立手続は，判断者が裁判所ではなく行政権内部の者である点を除けば，申立提起の要件や手続について取消訴訟と大きく変わるところはありません。

　不服申立ての対象は，行政庁の処分その他の公権力の行使に当たる行為です（行政不服審査法1条）。

　取消訴訟の原告適格に相当する申立資格や，出訴期間に相当する申立期間などの要件を満たさなければならず，申立てに執行停止の効力がない点も取消訴訟と同様です。

　不服申立期間は出訴期間よりも短く，処分を知った日から3か月以内，あるいは処分の日から1年以内とされています（行政不服審査法18条）。従来は処分を知った日から60日以内とされていましたが，平成26年改正によって3か月に延長されました。

　これらの不服申立審査の前提要件を欠く場合は，審査請求を受けた行政機関は，却下の裁決を下します（行政不服審査法45条1項）。

審査請求を受けた行政機関が下す判断を裁決と言います。

審理手続では，改正により**審理員制度**が導入されました（行政不服審査法9条）。審査対象となる処分に関与していない審理員が審理手続を主宰することで，従来よりも公正な審理を実施することが狙いです。

　さらに，審査庁は，審理員意見書の提出を受けたときは，原則として，行政不服審査会等に諮問することとされました（行政不服審査法43条）。この諮問手続の創設により，さらに客観的で合理的な審理の実現が期待されます。

　審査を行ったが不服申立人の主張を認めることができないときは，棄却裁決を行います（行政不服審査法45条2項）。この場合，裁決に不服のある申立人は，司法裁判所に対して取消訴訟を提起することになります。

　一方，審査請求を受けた行政機関が，不服申立人の言い分に理由があると認めるときは，認容裁決をして，当該行政処分を取り消します（行政不服審査法46条1項）。

　不服申立制度での審査の特徴は，取消訴訟のように，行政行為が違法であったかどうかの判断に限られるのではないということです。

　すなわち，不服申立ての審査は行政庁の裁量権行使の妥当性など，行政行為の当不当の判断にまで及びます。

　これは不服申立制度が，行政内部の審査であり，裁量権行使の当不当に判断を下すこともまた，行政権の権能に含まれるからです。

裁量行為の当否の審査

①司法審査

　裁量権の踰越や濫用にあたる例外的場合を除けば，原則として裁量権行使は違法性の問題は生じず，当不当の問題にすぎないので司法審査は及ばない。

②行政権による審査

　行政不服申立ての審査は行政内部の審査であるので，裁量権行使が違法となる場合はもちろん，行政庁の裁量判断が適切だったかという当不当の判断にも及ぶ。

行政不服審査法第9条〔審理員〕①第四条又は他の法律若しくは条例の規定により審査請求がされた行政庁（第十四条の規定により引継ぎを受けた行政庁を含む。以下「審査庁」という。）は，審査庁に所属する職員（第十七条に規定する名簿を作成した場合にあっては，当該名簿に記載されている者）のうちから第三節に規定する審理手続（この節に規定する手続を含む。）を行う者を指名するとともに，その旨を審査請求人及び処分庁等（審査庁以外の処分庁等に限る。）に通知しなければならない。（後略）

第43条：①審査庁は，審理員意見書の提出を受けたときは，次の各号のいずれかに該当する場合を除き，審査庁が主任の大臣又は宮内庁長官若しくは内閣府設置法第四十九条第一項若しくは第二項若しくは国家行政組織法第三条第二項に規定する庁の長である場合にあっては行政不服審査会に，審査庁が地方公共団体の長（地方公共団体の組合にあっては，長，管理者又は理事会）である場合にあっては第八十一条第一項又は第二項の機関に，それぞれ諮問しなければならない。（後略）

[用語チェック]

ア：取消訴訟
イ：不服申立て（または行政不服申立て）
ウ：審査請求
エ：再調査の請求
オ：再審査請求

□ 行政行為の公定力を排除して，私人の不利益を救済する法律上の手続としては，行政事件訴訟法による〔ア〕と，行政不服審査法による〔イ〕とがある。
□ 不服申立手続は，原則として〔ウ〕手続によって行う。法律に特別の定めがある場合には，〔エ〕や〔オ〕をすることができる。

カ：自由選択主義

□ 私人が，行政行為の公定力を排除して不利益を回復しようとするときに，〔ア〕の手続と〔イ〕の手続のいずれによるかを私人の意思に委ねる建前を〔カ〕という。

キ：不服申立前置主義
ク：処分

□ 〔イ〕の手続きを経てからでなければ〔ア〕の手続きを行うことができないとする建前を，〔キ〕という。
□ 〔イ〕の対象となるのは，行政庁の〔ク〕その他の公権力行使にあたる行為である。

ケ：違法性
コ：妥当性，当不当など

□ 〔イ〕は，行政権内部の審査手続なので，その審査内容に制限はない。したがって行政行為の〔ケ〕のみならず，裁量行為などの〔コ〕をも審査することができる。

サ：審理員

シ：行政不服審査会

□ 平成26年改正で，中立的な立場からの公正な審理を実現するために，〔サ〕制度が導入された。また，審査庁は，〔サ〕意見書の提出を受けたときは，原則として，〔シ〕等に諮問することとされた。

12時間目
行政訴訟とその周辺③
国家賠償・損失補償

●0●
はじめに

　取消訴訟や行政不服申立ては，瑕疵や過誤のある行政行為がなされたときに，その効力を否定することによって，私人の不利益を救済しようとするものでした。

　これに対して，行政活動によって生じた私人の不利益を金銭で解決しようとするのが，国家賠償や損失補償と呼ばれる制度です。

　このうち国家賠償は，市民法原理の一つである不法行為による損害賠償責任（民法709条）と大きく異なるものではないことは，既に述べました。

　「国家賠償法」で規定されていましたね。

　国家や自治体の活動がどれだけ公益性の高いものであったとしても，違法な行政活動によって私人に与えた損害については賠償責任が生じるのです。

　一方損失補償とは，合法的な行政活動によって特定の私人に生じた財産権の負担が無視できない場合に，他の私人との間で生じる不公平を調整するために憲法上要求されている制度です（憲法29条3項）。

....

憲法29条：③私有財産は，正当な補償の下に，これを公共のために用ひることができる。

①国家賠償

　違法な行政活動により私人が被った損害に対する金銭的救済

②損失補償

　適法な行政活動により，特定の私人が無視できない負担を余儀なくされた場合の，金銭的補てん

● 1 ●
国家賠償

❖国家賠償法１条の責任

　国家賠償法１条は，公務員が職務を行うに際して故意や過失によって私人に与えた損害を，国や自治体が賠償しなければならないとするものです。

　条文上は「公権力の行使に当る」とありますが，行政行為のような権力的な手法による行政活動に限らず，行政契約，行政指導など非権力的な手法による行政活動を排除しないと考えられています。

　行政事件訴訟法や行政不服審査法では，「公権力の行使」とは行政行為という権力的な手法による行政活動を意味していました（行政不服審査法１条１項など）。したがって，国家賠償法の場合は，同じ文言が使われていてもその意味する内容は異なるということになります。

　国や自治体に賠償責任が生じるには，その所属する公務員が故意または過失によって違法な職務執行を行い，私人に損害を与えたことが必要です。

公務員が職務とは無関係に他者に損害を与えたとしても，国家賠償は成立せず，公務員個人の不法行為責任が問われるにすぎないことは言うまでもありません。

また，公務員には少なくとも <u>過失が</u>あることが必要です。言いかえれば，その職務を担当していた公務員個人が注意を怠っていなければ，結果的に違法な行政活動で損害が生じたとしても国や自治体に賠償責任は生じないのです。（※手書き: うっかり）

公務員の故意，過失が要件とされていることは，国家賠償責任も民法の不法行為原理と大きく異なるものではないということの一つの表れといえます。

しかし，公務員の注意能力には当然個人差があります。

注意不足の公務員の場合は過失が認められて賠償責任が成立し，たまたま注意深く職務をこなす公務員が結果的に損害を与えてしまったときは賠償責任が成立しない，というのでは私人の側からしてみれば不平等ではないかという疑問があります。

そこで，故意はともかく過失については公務員の個人差による結果の相違が生じないよう，過失の内容を，<u>通常人に要求される注意義務を怠ったこととして客観的に捉える</u>のが一般的だと言えます。

国や自治体の賠償責任が成立した場合，過失のあった公務員が個人として責任を負うことはないのが原則です。公務員個人に賠償責任を負わせると，公務員の職務に対する姿勢が萎縮してしまい，公務の停滞が生ずるからです。

しかし，故意や重過失のある公務員にはこのような配慮は不要です。私人に対して賠償責任を果たした国や自治体は，違法な行政活動を行った公務員に対して，賠償額を求償することができます (国家賠償法1条2項)。

（※手書き: むずかしくいうと，損害発生の予見可能性と回避可能性に関して，客観的な注意義務違反があることです。）

国家賠償法1条の責任

①公務員が違法な職務執行を行って私人に与えた損害を賠償する責任。

②公務員には故意または過失が必要。ただし公務員の能力差によって賠償を受ける私人に不公平が生じないよう，過失の有無は通常人を基準として客観的に判断。

③公務員個人は賠償責任を負わないのが原則。ただし，故意または重過失がある場合には，国や自治体に対して求償責任を負う。

❖国家賠償法2条の責任

　国家賠償法2条は，国や自治体が公用や公共用のために設置・管理している道路や河川等の欠陥によって私人が損害を受けた場合に，国や自治体が負う賠償責任を定めたものです。

　公用とは国や自治体自身が利用することを，公共用とは不特定多数の国民や住民が利用することをいいます。

　民法の工作物責任（民法717条1項）に相当する無過失責任ですが，その対象は民法よりもはるかに広いものです。

　民法の工作物責任の対象となる「土地の工作物」とは人工的に製作された物だけを意味しますが，国家賠償法2条1項の

··

民法717条〔土地の工作物等の占有者及び所有者の責任〕①土地の工作物の設置又は保存に瑕疵があることによって他人に損害を生じたときは，その工作物の占有者は，被害者に対してその損害を賠償する責任を負う。ただし，占有者が損害の発生を防止するのに必要な注意をしたときは，所有者がその損害を賠償しなければならない。

「公の営造物」とは，国や自治体が設置した人工物＝人工公物ばかりではなく，国や自治体が管理すべき河川，湖沼，海浜など＝自然公物を含むからです。

公物とは，公用または公共用に供される動産や不動産をいいます。

　一般的には「公の営造物」という用語は，公立病院や公立図書館など，公の目的のために供されている物的人的施設をいいます。しかし，国家賠償法2条1項の「公の営造物」は，「公物」と同義だとするのが通説的理解です。

　これらの人工公物や自然公物が，通常備えるべき安全性を欠いていた場合に「設置・管理の瑕疵」の存在が認められ，国や自治体の過失の有無に関わりなく損害賠償責任が発生することになります。

　さらに，物理的な欠陥だけではなく，がけ崩れや河川の氾濫など自然現象を起因とする損害発生について，国や自治体が損害発生を予見できたのに適切な危険防止措置を取らなかったこと（安全確保義務違反）も「設置・管理の瑕疵」となりうるとするのが，従来からの判例の見解です。

国家賠償法2条：①道路，河川その他の公の営造物の設置又は管理に瑕疵があつたために他人に損害を生じたときは，国又は公共団体は，これを賠償する責に任ずる。
②前項の場合において，他に損害の原因について責に任ずべき者があるときは，国又は公共団体は，これに対して求償権を有する。

安全確保義務を怠ったことが「設置・管理の瑕疵」にあたるかどうかについては主に自然公物について問題となります。自然公物については，安全確保義務を怠らなかったことを立証できれば，国や自治体の責任が発生しない余地があるので，過失責任に近づくことになります。

国家賠償法2条による責任

①公物（人工公物，自然公物）の設置・管理の瑕疵により私人が被った損害の賠償責任。

②設置・管理に欠陥が存在している限り賠償義務が生じる，無過失責任。

③「瑕疵」とは物理的な欠陥に限らず，国や自治体が適切な危険防止措置をとる義務（安全確保義務）を怠ったことも，「設置・管理の瑕疵」にあたるとされることがある。

●2●
損失補償

　公共事業の予定地を私人が所有している場合，その所有者が国や自治体に対して土地の任意売却に応じなければ，国や自治体はその土地を行政行為によって強制的に取得することになります（土地収用法2条）。

収用裁決という下命によって、土地の強制取得が行われます。

この場合，土地の所有者は，たまたま公共事業予定地に土地を所有していたというだけの理由で土地という重要な私有財産を奪われるわけですから，公共の利益のために自分の財産を犠牲にしているものといえます。

　このような「特別の犠牲」に対しては，公平の見地から，負担に見合った金額の補てんがなされなければならず，それが憲法上の要請であることは既に述べました。

　具体的に，個別の法律による財産権の制限が「特別の犠牲」といえるかどうかの判断は，必ずしも容易ではありません。財産権の制限が，「特別の犠牲」にあたる場合には損失補償が必要だとするのが，憲法29条の通説的解釈です。

　通説・判例の見解によれば，①制限が特定の一部の者だけを対象としたものかどうかという形式的基準と，②制限の強度が一般的な受忍限度を超える程度のものかどうかという実質的基準，および③財産権制限の目的などを併せて考慮し，総合的に判断して決定されることになります。

土地収用法2条〔土地の収用又は使用〕公共の利益となる事業の用に供するため土地を必要とする場合において，その土地を当該事業の用に供することが土地の利用上適正且つ合理的であるときは，この法律の定めるところにより，これを収用し，又は使用することができる。

補償の要否＝特別の犠牲があるかないかの判断基準

①形式的基準：財産権の制約が，特定の一部の者に対するものである場合，特別の犠牲といえる。

②実質的基準説：財産権の制約が，通常の受忍限度を超えた強度なものである場合，特別の犠牲といえる。

③財産権制限の目的：財産権に内在的な制限であれば，特別な犠牲とはいえない。

＊①②③の基準を，総合的に考慮（①の基準で特定の一部の者に対する制約とされても，②③の基準が特別の犠牲とはいえないことを示していれば，全体としては特別の犠牲とは言えないなど）して，補償の要否が決定される。

　損失補償の内容や手続については，国家賠償法のような一般法は存在しません。損失補償の金額や手続は，土地収用法のような財産権の収用や制限の根拠となる個別の法律によって定められています（土地収用法71条など）。

土地収用法71条〔土地等に対する補償金の額〕収用する土地又はその土地に関する所有権以外の権利に対する補償金の額は，近傍類地の取引価格等を考慮して算定した事業の認定の告示の時における相当な価格に，権利取得裁決の時までの物価の変動に応ずる修正率を乗じて得た額とする。

もっとも，仮に個別の法律に損失補償についての規定がなかっ
たとしても，当該財産権の制約が「特別の犠牲」に該当し損失
補償がなされるべきものであるならば，直接憲法29条3項の
規定に基づいて，国や自治体に対して損失補償を請求すること
ができます（立法者が，その法律による財産権の制約が「特別の
犠牲」には当たらず損失補償も必要ないだろうと考えていた場合に，
このようなケースが生じ得ます）。

　その意味では，損失補償の内容や手続を定める一般法は，憲
法それ自体だとも言えます。

　損失補償の金額は「正当」な額でなければなりませんが（憲
法29条3項），それは収用した私有財産の時価の補償＝完全補
償が常に必要であることを意味しないと考えられています。

　すなわち，私有財産を制限ないし収用する法律の趣旨や目的
に照らした合理的な金額であれば，時価よりも低い補償金額＝
相当補償であっても「正当な補償」といえるとするのが，通説・
判例です。

損失補償の金額＝「正当な補償」
①**完全補償説**：制限ないし収用される私有財産の客観的価値全
　額の補償，時価補償。
②**相当補償説**：制限の目的等に照らし，社会通念上合理的とい
　える額の補償。通常は時価を下回る。

まとめ

●3●

最後に整理のため，行政救済の種類をまとめて図にしておきましょう。

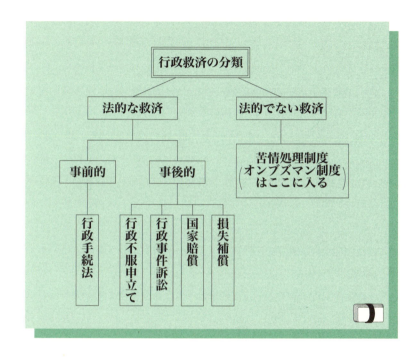

[問題]

国家賠償および損失補償に関する次の各記述の正誤を述べなさい。

ア) 国家賠償法1条による損害賠償は，「公権力の行使」によって発生した損害が対象なので，行政行為その他の権力的手法以外による行政活動によって発生した損害の賠償は，民法709条が根拠となります。

イ) 国家賠償法1条による損害賠償は無過失責任なので，公務員に故意または過失がなくても，国や自治体に賠償責任が生じます。

ウ) 国家賠償法1条により，国や自治体が私人に対し損害を賠償したときは，国や自治体は違法な職務を行った公務員に対して常に求償できます。

エ) 国家賠償法2条による損害賠償責任は，民法の工作物責任と同様の責任原理に立脚しています。

オ) 国家賠償法2条1項の「公の営造物」とは公立病院，公立図書館などの人的物的施設をいいます。

カ) 国家賠償法2条1項の「公の営造物」には，河川や海浜などの自然公物を含みます。

キ) 違法な行政活動によって財産権を奪われた私人は，損失補償を求めることができます。

ク) 財産権の制限が特別な犠牲に該当し損失補償が必要とされるかどうかの基準は，その制限が一般的な制限か，一部の者のみを対象とした制限かという形式的基準によってのみ決められます。

ケ) 損失補償は，常に対象物の完全な交換価値を補償するに足る金額でなければなりません。

コ) 財産権の制限が特別な犠牲にあたるといえる場合に，制限を定めた法律が損失補償を定めていないとしたら，その法律は違憲無効であるから，私人は奪われた財産権の返還を国や自治体に請求できます。

ア）誤：国家賠償法1条1項の「公権力の行使」は広義に解されていて，事実行為や非権力的行政活動も含まれます。したがって同項は，これらの場合の損害賠償請求の根拠ともなります。

イ）誤：国家賠償法1条1項を国や自治体の無過失責任を定めたものだとする見解に立ったとしても，現実に違法な職務を行った公務員に故意過失が必要かどうかとは別問題です。法文上明らかに公務員の故意または過失が要件とされています。

ウ）誤：求償できるのは，違法な職務執行をした公務員に故意または重過失がある場合だけです。通常の過失があるにすぎない場合は，求償できません。

エ）正：いずれも，いわゆる危険責任とよばれる無過失責任の原理に立脚した規定です。

オ）誤：国家賠償法2条1項の「公の営造物」は，一般的な用法とは異なり，国や自治体それ自体の用途や国民や住民の用途のために利用される物体＝公物を意味します。病院や図書館の建物や設備だけをいうならばそれは公物ですが，職員などの人的要素を含んだ意味でいうならば，病院や図書館は公物とは言えません。

カ）正：公物には，人工公物と自然公物とがあり，国家賠償法2条1項の「公の営造物」はそのいずれをも含むと解されています。

キ）誤：損失補償とは，適法な行政活動によって私人に生じた負担の不公平を金銭的に解消するための制度です。違法な行政活動による損害は，国家賠償による回復の対象です。

ク）誤：形式的基準と共に，財産権の制約が受忍限度を超える強度なものかどうかという実質基準を併せ考慮するのが，通説・判例の見解です。

ケ）誤：いわゆる完全補償ではなく，社会的に相当といえる程度で対象物の客観的価格を下回る金額でも，場合によっては許されるとするのが通説・判例です。

コ）誤：財産権の制約が特別の犠牲と言える場合に，当該法律が損失補償の内容や手続を定めていない場合は，直接憲法29条3項を根拠として国や自治体に損失補償を請求できます。したがって，当該法律の違憲や無効の主張をすることはできません。

巻末付録

- ●行政の内容
- ●行政立法
- ●行政上の争訟

行政の内容

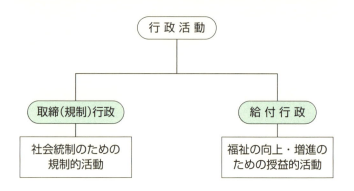

行政活動

取締（規制）行政
社会統制のための規制的活動

給付行政
福祉の向上・増進のための授益的活動

行政立法

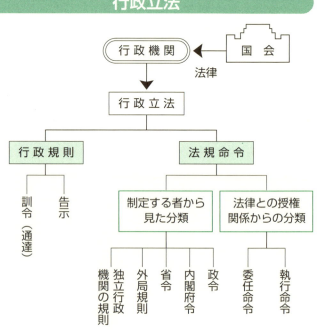

行政機関 ← 国 会
法律

行政立法

行政規則
訓令（通達）　告示

法規命令
制定する者から見た分類
機関の規則　独立行政　外局規則　省令　内閣府令　政令
法律との授権関係からの分類
委任命令　執行命令

行政上の争訟

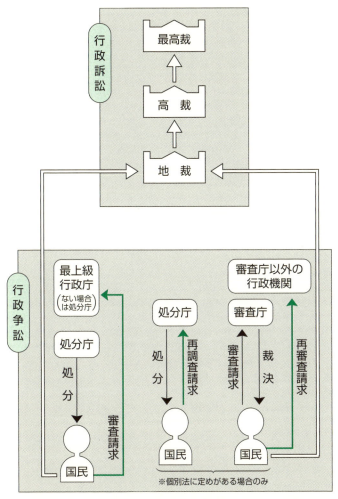

※行政争訟とは、行政府の機関による争訟の裁断をいう。行政不服審査法に規定されている。なお、行政訴訟の被告は、行政主体である。

本書関連の法律条文一覧

行政事件訴訟法……………………………………………………………

第2条〔行政事件訴訟〕この法律において「行政事件訴訟」とは，抗告訴訟，当事者訴訟，民衆訴訟及び機関訴訟をいう。

第3条〔抗告訴訟〕この法律において「抗告訴訟」とは，行政庁の公権力の行使に関する不服の訴訟をいう。

② この法律において「処分の取消しの訴え」とは，行政庁の処分その他公権力の行使に当たる行為（次項に規定する裁決，決定その他の行為を除く。以下単に「処分」という。）の取消しを求める訴訟をいう。

第4条〔当事者訴訟〕この法律において「当事者訴訟」とは，当事者間の法律関係を確認し又は形成する処分又は裁決に関する訴訟で法令の規定によりその法律関係の当事者の一方を被告とするもの及び公法上の法律関係に関する確認の訴えその他の公法上の法律関係に関する訴訟をいう。

第5条〔民衆訴訟〕この法律において「民衆訴訟」とは，国又は公共団体の機関の法規に適合しない行為の是正を求める訴訟で，選挙人たる資格その他自己の法律上の利益にかかわらない資格で提起するものをいう。

第8条〔処分の取消しの訴えと審査請求との関係〕処分の取消しの訴えは，当該処分につき法令の規定により審査請求をすることができる場合においても，直ちに提起することを妨げない。ただし，法律に当該処分についての審査請求に対する裁決を経た後でなければ処分の取消しの訴えを提起することができない旨の定めがあるときは，この限りでない。

第11条〔被告適格等〕処分又は裁決をした行政庁（処分又は裁決があつた後に当該行政庁の権限が他の行政庁に承継されたときは，当該他の行政庁。以下同じ。）が国又は公共団体に所属する場合には，取消訴訟は，次の各号に掲げる訴えの区分に応じてそれぞれ当該各号に定める者を被告として提起しなければならない。

一 処分の取消しの訴え 当該処分をした行政庁の所属する国又は公共団体

二 裁決の取消しの訴え 当該裁決をした行政庁の所属する国又は公共団体

② 処分又は裁決をした行政庁が国又は公共団体に所属しない場合には，取消訴訟は，当該行政庁を被告として提起しなければならない。

③ 前二項の規定により被告とすべき国若しくは公共団体又は行政庁がない場合には，取消訴訟は，当該処分又は裁決に係る事務の帰属する国又は公共団体を被告として提起しなければならない。

第14条〔出訴期間〕取消訴訟は，処分又は裁決があつたことを知つた日から六箇月を経過したときは，提起することができない。ただし，正当な理由があるときは，この限りでない。

② 取消訴訟は，処分又は裁決の日から一年を経過したときは，提起することができない。ただし，正当な理由があるときは，この限りでない。

③ 処分又は裁決につき審査請求をすることができる場合又は行政庁が誤つて審査請求をすることができる旨を教示した場合において，審査請求があつたときは，処分又は裁決に係る取消訴訟は，その審査請求をした者については，前二項の規定にかかわらず，これに対する裁決があつたことを知つた日から六箇月を経過したとき又は当該裁決の日から一年を経過したときは，提起することができない。ただし，正当な理由があるときは，この限りでない。

第15条〔被告を誤つた訴えの救済〕取消訴訟において，原告が故意又は重大な過失によらないで被告とすべき者を誤つたときは，裁判所は，原告の申立てにより，決定をもつて，被告を変更することを許すことができる。

第24条〔職権証拠調べ〕裁判所は，必要があると認めるときは，職権で，証拠調べをすることができる。ただし，その証拠調べの結果について，当事者の意見をきかなければならない。

第25条〔執行停止〕処分の取消しの訴えの提起は，処分の効力，処分の執行又は手続の続行を妨げない。

② 処分の取消しの訴えの提起があつた場合において，処分，処分の執行又は手続の続行により生ずる重大な損害を避けるため緊急の必要があるときは，裁判所は，申立てにより，決定をもつて，処分の効力，処分の執行又は手続の続行の全部又は一部の停止（以下「執行停止」という。）をすることができる。ただし，処分の効力の停止は，処分の執行又は手続の続行の停止によつて目的を達することができる場合には，することができない。

第27条〔内閣総理大臣の異議〕第二十五条第二項の申立てがあつた場合には，内閣総理大臣は，裁判所に対し，異議を述べることができる。執行停止の決定があつた後においても，同様とする。

④ 第一項の異議があつたときは，裁判所は，執行停止をすることができず，また，すでに執行停止の決定をしているときは，これを取り消さなければならない。

第30条〔裁量処分の取消し〕 行政庁の裁量処分については，裁量権の範囲をこえ又はその濫用があつた場合に限り，裁判所は，その処分を取り消すことができる。

第31条〔特別の事情による請求の棄却〕取消訴訟については，処分又は裁決が違法ではあるが，これを取り消すことにより公の利益に著しい障害

を生ずる場合において，原告の受ける損害の程度，その損害の賠償又は防止の程度及び方法その他一切の事情を考慮したうえ，処分又は裁決を取り消すことが公共の福祉に適合しないと認めるときは，裁判所は，請求を棄却することができる。この場合には，当該判決の主文において，処分又は裁決が違法であることを宣言しなければならない。

第37条の2〔義務付けの訴えの要件等〕第三条第六項第一号に掲げる場合において，義務付けの訴えは，一定の処分がされないことにより重大な損害を生ずるおそれがあり，かつ，その損害を避けるため他に適当な方法がないときに限り，提起することができる。

②　裁判所は，前項に規定する重大な損害を生ずるか否かを判断するに当たつては，損害の回復の困難の程度を考慮するものとし，損害の性質及び程度並びに処分の内容及び性質をも勘案するものとする。

③　第一項の義務付けの訴えは，行政庁が一定の処分をすべき旨を命ずることを求めるにつき法律上の利益を有する者に限り，提起することができる。

⑤　義務付けの訴えが第一項及び第三項に規定する要件に該当する場合において，その義務付けの訴えに係る処分につき，行政庁がその処分をすべきであることがその処分の根拠となる法令の規定から明らかであると認められ又は行政庁がその処分をしないことがその裁量権の範囲を超え若しくはその濫用となると認められるときは，裁判所は，行政庁がその処分をすべき旨を命ずる判決をする。

第37条の3　第三条第六項第二号に掲げる場合において，義務付けの訴えは，次の各号に掲げる要件のいずれかに該当するときに限り，提起することができる。

一　当該法令に基づく申請又は審査請求に対し相当の期間内に何らの処分又は裁決がされないこと。

二　当該法令に基づく申請又は審査請求を却下し又は棄却する旨の処分又は裁決がされた場合において，当該処分又は裁決が取り消されるべきものであり，又は無効若しくは不存在であること。

第37条の4〔差止めの訴えの要件〕差止めの訴えは，一定の処分又は裁決がされることにより重大な損害を生ずるおそれがある場合に限り，提起することができる。ただし，その損害を避けるため他に適当な方法があるときは，この限りでない。

③　差止めの訴えは，行政庁が一定の処分又は裁決をしてはならない旨を命ずることを求めるにつき法律上の利益を有する者に限り，提起することができる。

⑤　差止めの訴えが第一項及び第三項に規定する要件に該当する場合において，その差止めの訴えに係る処分又は裁決につき，行政庁がその処分若

しくは裁決をすべきでないことがその処分若しくは裁決の根拠となる法令の規定から明らかであると認められ又は行政庁がその処分若しくは裁決をすることがその裁量権の範囲を超え若しくはその濫用となると認められるときは，裁判所は，行政庁がその処分又は裁決をしてはならない旨を命ずる判決をする。

第37条の5〔仮の義務付け及び仮の差止め〕義務付けの訴えの提起があつた場合において，その義務付けの訴えに係る処分又は裁決がされないことにより生ずる償うことのできない損害を避けるため緊急の必要があり，かつ，本案について理由があるとみえるときは，裁判所は，申立てにより，決定をもつて，仮に行政庁がその処分又は裁決をすべき旨を命ずること（以下この条において「仮の義務付け」という。）ができる。

② 差止めの訴えの提起があつた場合において，その差止めの訴えに係る処分又は裁決がされることにより生ずる償うことのできない損害を避けるため緊急の必要があり，かつ，本案について理由があるとみえるときは，裁判所は，申立てにより，決定をもつて，仮に行政庁がその処分又は裁決をしてはならない旨を命ずること（以下この条において「仮の差止め」という。）ができる。

③ 仮の義務付け又は仮の差止めは，公共の福祉に重大な影響を及ぼすおそれがあるときは，することができない。

第38条〔取消訴訟に関する規定の準用〕第十一条から第十三条まで，第十六条から第十九条まで，第二十一条から第二十三条まで，第二十四条，第三十三条及び第三十五条の規定は，取消訴訟以外の抗告訴訟について準用する。

行政手続法 ··

第5条〔審査基準〕行政庁は，申請により求められた許認可等をするかどうかをその法令の定めに従って判断するために必要とされる基準（以下「審査基準」という。）を定めるものとする。

② 行政庁は，審査基準を定めるに当たっては，当該許認可等の性質に照らしてできる限り具体的なものとしなければならない。

③ 行政庁は，行政上特別の支障があるときを除き，法令により当該申請の提出先とされている機関の事務所における備付けその他の適当な方法により審査基準を公にしておかなければならない。

第12条〔処分の基準〕行政庁は，不利益処分をするかどうか又はどのような不利益処分とするかについてその法令の定めに従って判断するために必要とされる基準（次項において「処分基準」という。）を定め，かつ，これを公にしておくよう努めなければならない。

② 行政庁は，処分基準を定めるに当たっては，当該不利益処分の性質に

照らしてできる限り具体的なものとしなければならない。

行政指導にあっては，行政指導に携わる者は，いやしくも当該行政機関
第32条〔行政指導の一般原則〕任務又は所掌事務の範囲を逸脱してはな
らないこと及び行政指導の内容があくまでも相手方の任意の協力によって
のみ実現されるものであることに留意しなければならない。
② 行政指導に携わる者は，その相手方が行政指導に従わなかったことを
理由として，不利益な取扱いをしてはならない。

行政不服審査法

第1条〔目的等〕①この法律は，行政庁の違法又は不当な処分その他公権
力の行使に当たる行為に関し，国民が簡易迅速かつ公正な手続の下で広く
行政庁に対する不服申立てをすることができるための制度を定めることに
より，国民の権利利益の救済を図るとともに，行政の適正な運営を確保す
ることを目的とする。
第4条〔審査請求をすべき行政庁〕審査請求は，法律（条例に基づく処分
については，条例）に特別の定めがある場合を除くほか，次の各号に掲げ
る場合の区分に応じ，当該各号に定める行政庁に対してするものとする。
第5条〔再調査の請求〕①行政庁の処分につき処分庁以外の行政庁に対し
て審査請求をすることができる場合において，法律に再調査の請求をする
ことができる旨の定めがあるときは，当該処分に不服がある者は，処分庁
に対して再調査の請求をすることができる。ただし，当該処分について第
二条の規定により審査請求をしたときは，この限りでない。
第6条〔再審査請求〕①行政庁の処分につき法律に再審査請求をすること
ができる旨の定めがある場合には，当該処分についての審査請求の裁決に
不服がある者は，再審査請求をすることができる。
第18条〔審査請求期間〕処分についての審査請求は，処分があったこと
を知った日の翌日から起算して三月（当該処分について再調査の請求をし
たときは，当該再調査の請求についての決定があったことを知った日の翌
日から起算して一月）を経過したときは，することができない。ただし，
正当な理由があるときは，この限りでない。
②処分についての審査請求は，処分（当該処分について再調査の請求をし
たときは，当該再調査の請求についての決定）があった日の翌日から起算
して一年を経過したときは，することができない。ただし，正当な理由が
あるときは，この限りでない。

さ　　く　　い　　ん

著　者　プ　ロ　フ　ィ　ー　ル

尾崎哲夫 (Ozaki Tetsuo)

1953 年大阪生まれ。1976 年早稲田大学法学部卒業。2000 年早稲田大学大学院アジア太平洋研究科国際関係専攻修了。2008 年米国ルイス・アンド・クラーク法科大学院留学。
松下電送機器㈱勤務，関西外国語大学短期大学部教授，近畿大学教授を経て，現在研究・執筆中。
主な著書に，「ビジネスマンの基礎英語」（日経文庫）「海外個人旅行のススメ」「海外個人旅行のヒケツ」（朝日新聞社）「大人のための英語勉強法」（PHP 文庫）「私の英単語帳を公開します!」（幻冬舎）「コンパクト法律用語辞典」「法律英語用語辞典」「条文ガイド六法　会社法」「法律英語入門」「アメリカの法律と歴史」「アメリカ市民の法律入門（翻訳）」「はじめての民法総則」「はじめての会社法」「はじめての知的財産法」「はじめての行政法」「はじめての労働法」「国際商取引法入門」（自由国民社）他多数がある。
[Blog] http://tetsuoozaki.blogspot.com/
[E-Mail] ted.ozaki@gmail.com
[Web] http://www.ozaki.to

About the Author

Ozaki Tetsuo, born in Japan in 1953, was a professor at Kinki University.
Graduating from Waseda University at Law Department in April 1976, he was hired as an office worker at Matsushitadenso (Panasonic group). He graduated from graduate school of Asia-Pacific Studies at Waseda University in 2000. He studied abroad at Lewis & Clark Law school in the United States in 2008. Prior to becoming a professor at Kinki University he was a professor at Kansaigaikokugo college (from April 2001 to September 2004).
He has been publishing over two hundred books including,
A Dictionary of English Legal Terminology, Tokyo : Jiyukokuminsha, 2003
The Law and History of America, Tokyo : Jiyukokuminsha, 2004
An introduction to legal English, Tokyo : Jiyukokuminsha, 2003
English Study Method for Adults, Tokyo : PHP, 2001
The Dictionary to learn Legal Terminology, Tokyo : Jiyukokuminsha, 2002
The first step of Legal seminar series (over 20 books series), Tokyo : Jiyukokuminsha, 1997〜
The Fundamental English for business person, Tokyo : Nihonkeizaishinbunsha (Nikkei), 1994
The Recommendation of Individual Foreign Travel, Tokyo : Asahishinbunsha, 1999
The Key to Individual Foreign Travel, Tokyo : Asahishinbunsha, 2000
Master in TOEIC test, Tokyo : PHP, 2001
Basic English half an hour a day, Tokyo : Kadokawashoten, 2002
I show you my studying notebook of English words, Tokyo : Gentosha, 2004

American Legal Cinema and English, Tokyo : Jiyukokuminsha, 2005,
and other lots of books.
He has also translated the following book.
Feinman, Jay, *LAW 101 Everything you need to know about the
American Legal System*, England : Oxford University Press, 2000
＊These book titles translated in English. The original titles are published in
Japanese language.

[3日でわかる法律入門]

はじめての行政法

2006 年 4 月18 日　初版発行
2020 年 12 月18 日　第6 版第1 刷発行

著　者──尾崎哲夫
発行者──伊藤　滋
印刷所──横山印刷株式会社
製本所──新風製本株式会社
発行所──株式会社自由国民社

〒171-0033 東京都豊島区高田 3 ─10─11
TEL 03 (6233) 0781 (代) 振替 00100-6-189009
https://www.jiyu.co.jp/